DESTINOS CAUTIVOS

Amor y Aventura

DESTINOS CAUTIVOS

Nieves Hidalgo

VERGARA
GRUPO ZETA

Barcelona • Bogotá • Buenos Aires • Caracas • Madrid • México D.F. • Miami • Montevideo • Santiago de Chile

1.ª edición: octubre 2014

© Nieves Hidalgo de la Calle, 2014
© Ediciones B, S. A., 2014
 para el sello Vergara
 Consell de Cent 425-427 - 08009 Barcelona (España)
 www.edicionesb.com

Printed in Spain
ISBN: 978-84-15420-85-9
DL B 16207-2014

Impreso por Novagràfic, S.L.

Dedicatoria

A las chicas de las Intrigas Palaciegas, por el buen rato que pasamos una noche buscando título para esta novela.

A todos los lectores que se enamoraron de Elena y Diego en *Amaneceres cautivos* y me pidieron su propia historia. En especial, a Maite Moraga y Raquel Ruiz (tenéis unos críos maravillosos).

Para L. y L. Os quiero, aunque no es nada nuevo.

Al que es fuente de mi inspiración. Siempre.

Almas de afán generoso
carácter de tierra y fuego
no son inmunes al ruego
del débil menesteroso.

Inmersos en las intrigas
de nobles y purpurados
intrusos amenazados
por peligros y fatigas.

Ajenos a los motivos
que amordazan emociones
se nutren en las pasiones
de sus destinos cautivos.

Año del Señor de 1517

Trujillo. España

1

Hacienda Los Arrayanes

Se había casado aquella misma mañana.

Y había roto su matrimonio antes de finalizar el día.

Todo un récord. Incluso para ella, la impulsiva, imprudente, pertinaz y temeraria Elena Zúñiga.

El omnipotente y soberbio Enrique Zúñiga de Valbuena, su padre, aquel que se vanagloriaba ante quien quisiera escucharlo de haber acompañado en su lecho de muerte a don Alonso de Cárdenas, maestre de la Orden de Santiago, lo había dejado todo dispuesto antes de morir. Y su madre, una mujer pusilánime pero egoísta, que siempre vivió cohibida por una personalidad tan absorbente, no se atrevió a desairarle ni aun después de que descansara en una caja de pino porque los deseos de su esposo colmaban sus sueños.

El único apoyo le llegó por parte de su abuela, una mujer dispuesta y flemática. De padres ingleses, había pisado por primera vez la Península a la edad de ocho años, allí se había quedado y se consideraba más española que inglesa. De ella había heredado no solamente su cabello rubio y sus ojos azules, sino genio, bravura y también cinismo. Legados que, aderezados con su testarudez, alimentaron continuos enfrentamientos en vida de su progenitor.

Pero él había ganado, al fin, aquella batalla de arrestos. Aun después de muerto impuso su voluntad de casarla con el heredero del hombre que fuera su amigo. Ella, sin alcanzar la mayoría de edad, solo podía doblegarse y aceptar el matrimonio con Diego Martín y Peñafiel, conde de Bellaste.

Y se plegó a las circunstancias.

Otra cosa iba a ser la convivencia que exigía el matrimonio.

Había nacido libre, hablaba tres idiomas, conocía las letras y las matemáticas, podía tocar un clavicordio de treinta y ocho teclas... Lo que era más importante, tenía una cabeza con la que pensar. Este dato era ya de por sí suficiente, según su abuela, para que nadie le impusiera su santa voluntad. Claro que una cosa era la lógica y otra la práctica. En un mundo de hombres, un pensamiento libre como el suyo topaba siempre con cada varón que se le acercaba. Sobre todo con su padre, que en nada se había parecido al difunto abuelo. Si él hubiera estado vivo...

Así que viajó hasta Trujillo acompañada de su abuela, tres sirvientas y un escaso número de soldados, algo bisoños, pero suficientes como para hacerse respetar durante el trayecto desde Toledo. Treinta largas leguas de polvo, mosquitos, zanjas y cansancio hasta llegar a la ciudad donde celtas, fenicios, romanos y árabes dejaron su huella a lo largo de la Historia. Tierra de encinas, alcornoques, robles y quejigos. De intrincadas callejuelas, iglesias y palacios.

No le importó lo penoso del viaje porque amaba Extremadura y parte de su infancia transcurrió a caballo entre sus llanuras y las de Castilla. A lo que se opuso desde un principio fue a regresar a la hacienda de los Bellaste, Los Arrayanes. Y a casarse con Diego.

Pero ya no había remedio. El padre Agustín, al que conocía desde niña, les unió en santo matrimonio. Unos esponsales que duraron lo que dura la ceremonia, el convite y las felicitaciones.

A la hora de retirarse al tálamo nupcial, Elena despidió a damas y sirvientas y esperó la llegada de su reciente esposo en tensión, pero decidida a afrontar la prueba de fuego que se avecinaba.

Minutos después, aquel hombre sobrio, gallardo y aristocrático con el que la habían casado, entró en el cuarto. No dijo ni palabra, pero vio la decepción pintada en su cara porque ella aún vestía de novia y no le aguardaba con un delicado y sensual camisón como hubiera esperado y dictaba la tradición.

Ella continuó de pie junto a la ventana ojival que se abría al jardín. Rosas, rododendros y jazmines conferían al lugar un halo mágico del que siempre estuvo enamorada. Al fondo, el pequeño laberinto en el que tantas veces se perdieron ambos cuando eran unos niños.

Diego cerró y se acercó.

Lo disimuló, pero un escalofrío recorrió la espalda de Elena ante su proximidad. Olía bien el condenado. Se acodó en el alféizar, aunque seguía sus movimientos con el rabillo del ojo. La mano de Diego, acercándose, la paralizó. Si intentaba...

Él solamente tomó entre sus dedos un mechón de aquel cabello casi platino que le fascinó siempre, acariciándolo, maravillándose de su textura sedosa y su brillo. El perfil de Elena resultaba patricio. Era hermosa. Y distante.

—¿Nerviosa? —le preguntó, apoyando los dedos en su nuca.

Ella controló el escalofrío que le provocó su contacto y se alejó hacia el otro lado de la habitación. No sabía dónde poner las manos y el corazón amenazaba con salírsele del pecho. Inspiró profundamente y se le enfrentó. Por un instante, mirándole, se preguntó si estaba haciendo lo correcto. Rechazarle era de locos. Diego era un hombre muy atractivo. Tenía fortuna, un título y gozaba del favor del regente de España, el cardenal Cisneros. Con él podría disfrutar de lujos que nunca paladeó en casa de su padre, poco dado a lo que él denominaba «gastos superfluos». Y también gozar en su cama. De eso no le cabía la menor duda, si daba pábulo a las habladurías que circulaban sobre el disoluto conde de Bellaste.

Incómodo por el silencio de su flamante esposa, Diego se echó el cabello hacia atrás. No lo llevaba largo, apenas le cubría la nuca, pero aquellos remolinos de color cobre veteados de oro le recordaron a Elena un día muy lejano, cuando le volcó un cubo de barro en la cabeza. Él, en venganza, había buscado una navaja y cortado su larga trenza, de la que estaba tan orgullosa. Tres días completos estuvo llorando a causa de aquella escabechina. Claro que a él aún debían de escocerle en el trasero los correazos que le propinó su padre, el difunto conde.

Sin proponérselo, se le curvó una sonrisa en los labios y él avanzó un paso, acaso creyendo despejado el camino.

Elena apoyó la palma sobre su pecho y le detuvo. Se armó de valor y le dijo:

—Diego, no deseo este matrimonio.

El desconcierto tintó de blanco el bronceado rostro masculino.

—¿De qué hablas?

—Hablo de que no lo elegí yo, me fue impuesto. Siempre, desde que éramos niños, supiste cómo pienso, así que no te hagas el pasmado ahora.

—Entonces por qué esta farsa. ¿Por qué seguiste adelante? Juraste ante un sacerdote.

—Juré, sí. ¿Qué otra opción me dejaron? Juré respetarte, serte fiel, cuidarte en la enfermedad. Y lo cumpliré.

—¡Y amarme! —estalló él.

—Pues mentí. Solo amaré al hombre del que me enamore, Diego. Y tú no eres ese hombre.

Pocas veces en su vida se había sentido tan confundido. Hasta creía estar ya de vuelta de casi todo. Sin embargo, aquella belicosa tozuda le estaba demostrando que aún quedaba espacio para la sorpresa.

—¿Y si decidiera tomar lo que me pertenece por derecho? ¿Sabes que podría exigirte cumplir con tus obligaciones matrimoniales?

Claro que Elena lo sabía. Como sabía que nadie iba a pedirle cuentas si aquella noche la poseía, aunque fuera por la fuerza. ¿Qué podía hacer una mujer en esos casos? ¿Quién salvaguardaba sus deseos? ¿Por qué, desde que el mundo era mundo, debían ellas someterse a ellos? Se envaró y señalándose con el índice le advirtió:

—Ni te atrevas, Diego. Ni te atrevas.

El de Bellaste no se acercó a ella. Se limitó a observarla, bebiendo sus finos rasgos, casi vikingos, el nácar de su rostro, el cielo de sus grandes ojos, el oro de sus largas pestañas. El corpiño, donde decenas de perlas proyectaban chispitas bajo la luz del candelabro, se ajustaba a su pequeño y altivo busto, ciñéndose a una cintura estrecha que él podría abarcar casi con las dos manos. Por sobre la prenda, la carne trémula y clara de sus pechos le llamaba como el canto de una sirena. Se volvió, sorteando la evidencia con que su cuerpo respondió a su embrujo, y se acodó en la ventana, dándole la espalda.

—Así que deseas ser la condesa virgen —comentó con un deje de ironía.

—Quiero tiempo, Diego. Solamente eso.

—¿Tiempo? —Sus ojos frustrados se volvieron ámbar al mirarla—. ¿Cuánto tiempo? ¿Una semana, un mes, un año?

Elena se sentó en el borde de la cama. Se fijó en la punta de sus escarpines blancos y murmuró:

—No lo sé.

—Y ¿cómo vas a solucionar la muestra de tu virginidad en las sábanas? Sabes que vendrán a comprobarlo.

—Me... me cortaré —balbuceó—. Un poco de sangre y...

—¡Por Cristo! Has pensado en todo, ¿verdad?

Ella agachó más la cabeza.

Le oyó suspirar profundamente, pero no se atrevió a mirarle. Le estaba pidiendo mucho, demasiado. Su título necesitaba un heredero y ella se lo estaba negando. Eso, y el sexo. Para un hombre como Diego, acostumbrado a tenerlo todo, a conseguir lo que deseaba con solo chascar los dedos, era un insulto. Y podría tomar represalias, hacerle la vida imposible, encerrarla en un convento. Estrujó la seda del vestido entre sus dedos, trémulos ahora.

—Sea entonces, señora —dijo él al cabo de un interminable silencio—. Nuestro matrimonio será solamente un engaño, una obra de teatro que representaremos cada día. No te tocaré, si es lo que quieres. No te pondré una mano encima, Elena, aunque solo Dios sabe si acabaré de enloquecer por tanta concesión. No sé lo que aguantaré. Entretanto no podrás negarme que trate de seducirte. Y eso, te juro que pienso hacerlo.

¿Seducirla? ¿Qué no había entendido cuando le pidió tiempo? Pero no quiso abusar de su buena disposición.

—Gracias —musitó.

—Naturalmente, al menos en público, te mostrarás como debe hacerlo la condesa de Bellaste.

—Sabes que no suelo callar lo que pienso, pero procuraré...

—¡Pues muérdete la lengua! —explotó Diego. Y esta vez sí que se acercó, su rostro atezado y enojado a un palmo de ella—. Te comportarás como corresponde y si no es así me desvincularé de nuestro acuerdo y, aunque me odies hasta la muerte, me meteré en tu cama y te convertiré de hecho en lo que ya eres por ley: una mujer. ¡Mi mujer!

Él se fue y ella se quedó allí, digiriendo la amenaza de Diego legalmente irreprochable y cargada de la lógica que acompaña la razón.

2

Toledo. Residencia del señor de la Chaux

Charles de Poupet odiaba España. Y, sobre todo, odiaba Toledo. Según él, una tierra árida y hosca, de gentes demasiado bravías para su gusto. Había estado allí hacía dos años, en invierno, y aún recordaba el insoportable y crudo frío de los campos de Castilla. En verano era aún peor, con el abrasador sol derritiendo hasta las ideas. Pero tenía una misión que cumplir y la cumpliría.

Revisó lo que escribiera en el pergamino que tenía ante sí y asintió. Mojó la pluma en el tintero para continuar y su mano se paralizó al escuchar la llamada a la puerta. Inmediatamente, escondió bajo unos mapas la misiva que redactaba.

—Adelante.

La mujer que entró en el despacho le arrancó una mueca. Con ella allí, la carta debería quedar relegada. Balbina Cobos no admitía nunca ser el segundo plato.

—¿Estáis ocupado?

—Nunca para vos, señora. —El flamenco se levantó y acudió a recibirla con las manos extendidas.

Ella se dejó envolver entre los brazos del hombre que se había convertido en su amante hacía dos años y que ahora, al regresar a España, la había buscado de nuevo. Se encontraba bien con él, tenía influencia y a su físico unía un inmejorable hacer entre las sábanas. A Balbina no le importaba su fortuna, de hecho nunca le pidió nada y no había admitido más que pequeños e insignificantes obsequios de él, que siempre alababa. Pero sí le interesaba su posición, porque, tarde o temprano, España estaría regida por un flamenco y aquel individuo formaría parte de su séquito. Siempre supo posicionarse donde más le convenía y ahora estaba en lugar privilegiado como su querida.

Permitió que él acariciara su cuello con los labios y buscara el inicio de su busto hundiendo la cara allí y aspirando su perfume. Le divertía tenerlo tan enamorado y deseoso.

—Me entusiasma vuestro olor.

—Y a mí vuestro cuerpo, mi señor —repuso ella, un tanto mimosa, abarcando con sus manos la espalda masculina y bajando después, con descaro, hacia la entrepierna.

El de Poupet reaccionó de inmediato y la estrechó con fuerza. ¡Al diablo la carta! Ya tendría tiempo de acabarla después. Le urgía volver a saborear al cuerpo macizo de aquella hembra. Se acopló a ella y volaron sus manos a las nalgas disimuladas bajo metros de tela y que él sabía prietas y generosas. La besó en los labios, se separó luego de ella, abrió una alacena practicada en el muro y se volvió hacia su amante con un frasco de perfume en las manos.

—Para vos, señora... —ofreció—. Traído de Francia.

Ella dejó escapar un ligero gorjeo de felicidad y aceptó

21

el obsequio, destapándolo y aspirando la fragancia que se expandió por el despacho.

—Me mimáis demasiado, señor. —Aletearon sus pestañas al decirlo.

El repentino barullo en el exterior les distrajo. Con una maldición en la boca, Poupet caminó hasta la ventana y la abrió. Abajo, en el patio, se escuchaban las airadas protestas de un comerciante y la réplica de uno de sus criados.

—¡Poco me importa que vuestro amo sea el mismísimo enviado de Dios a la tierra! —bramaba el proveedor—. Se me deben ya cincuenta reales y quiero cobrarlos ahora o me llevo de nuevo lo que he traído.

El sirviente contestó con un sonoro insulto que fue atajado por el otro de igual modo y con una nueva amenaza de volver sobre sus pasos con el pedido.

«Jodidos españoles —pensó el flamenco—. Siempre exigiendo. ¿No pago siempre?» Pero no podía ocuparse de todo y recordó, de pronto, que no había dejado monedas a su mayordomo para hacer frente a aquel tipo de eventualidades. Agradeció mentalmente a su sirviente su defensa, pero le fastidiaban las broncas, así que se asomó a la ventana para poner orden e indicar a su intendente que subiera. Satisfaría la cantidad debida al carnicero y punto en boca.

—¡Jacinto! —llamó—. Sube y di a ese tipo que espere.

Balbina, entretanto, se había acomodado en el borde de la maciza mesa de caoba y jugaba con el reloj de arena que había sobre ella. Sus ojos toparon de pronto con un pergamino escondido bajo los mapas esparcidos sobre la superficie y, traviesa, se preguntó si sería algún nuevo poema con los que el señor de la Chaux solía obsequiarla. Agarró el vértice del pliego y tiró de él. Volaron sus ojos por las líneas escritas con una sonrisa de anticipación. Se tensó su cuerpo y un color ceniciento le blanqueó la cara. Empujó la carta a su lugar, aunque con las prisas por volver a ocultarla golpeó el tintero, que se volcó sobre la mesa manchando los planos y haciéndola proferir una exclamación.

El de Poupet se volvió al escucharla y se fijó en el desastre. Por sus pupilas cruzó un brillo de duda y se acercó a la mesa.

—Lo siento —dijo ella, poniéndose de inmediato en pie—. ¡Qué torpe soy! Admiraba vuestro reloj de arena y no sé cómo he golpeado el...

—No tiene importancia, mandaré que limpien todo. Disculpadme un minuto, señora. Atenderé el fastidioso problema doméstico y estoy con vos.

Balbina asintió intentando mostrarse encantadora y se aupó sobre las puntas de sus escarpines para darle un breve beso en la boca. Con el corazón bombeando en su pecho le vio sacar una llave que colgaba de su cuello, bajo la chaqueta, abrir uno de los cajones inferiores de la mesa y sacar una bolsa de dinero. Fue hasta la puerta, la abrió y se la entregó al mayordomo, que aguardaba fuera.

—Págale y que no vuelva por aquí. Mañana busca otro proveedor —le ordenó.

Una vez solventado el tema, Charles sujetó la puerta y miró a su amante arqueando las cejas.

Era una invitación clara a su cuarto y Balbina lo entendió como tal. En otra ocasión hubiera accedido gustosa. De hecho, aquella tarde buscaba unas horas de solaz en la cama del extranjero, por eso había ido allí. Pero ahora la ahogaba la angustia de lo que acababa de conocer y no se creía capaz de poder disimular ante aquel hombre de mirada oscura y

23

enigmática, que, muchas veces, parecía saber lo que pensaba. No. Aquella tarde no se quedaría. E inventó una excusa.

—Me encantaría quedarme, mi señor, pero han surgido problemas en mi finca. He venido a deciros que me marcho de Toledo hoy mismo.

A Poupet se le agrió el gesto.

—¿Cuándo podré volver a veros?

—Rezo para que nuestra separación sea breve, Charles. —Se acercó a él y le posó la mano sobre su pecho, regalándole lo que quería ser una sonrisa desenfadada—. Os echaré de menos, ya lo sabéis.

El señor de la Chaux abarcó la estrecha cintura de la dama pegándola a él y atrapó su boca. La sintió temblar y quiso creer que era de pasión. Luego la soltó y le hizo una reverencia.

—Contaré las horas, señora.

A Balbina Cobos le perdió su precipitada salida, que hizo fruncir el ceño al flamenco. Y su mente, siempre despejada para las intrigas, comenzó a trabajar. ¿A qué venía tanta prisa por marchase cuando se había presentado con la promesa de una noche de lujuria? Entonces se dio cuenta de que ella no se había llevado el frasquito de perfume. Se volvió y se fijó en que estaba en la mesa, junto al volcado tintero. Una duda espantosa le espoleó. Se acercó y clavó sus ojos en el desastre en que se había convertido su escritorio. Se fijó en la carta que asomaba bajo los planos y se irguió como si le hubieran abofeteado. No estaba como él la dejara en su premura por esconderla. Sobresalía más de la mitad del pliego.

—¡Hija de puta! —murmuró por lo bajo. Durante un instante se quedó clavado donde estaba, sin poder reaccionar. Ella había leído la misiva, no le cupo la menor duda. Una carta harto peligrosa para su seguridad y para la seguridad de su misión en España—. ¡¡¡Jacinto!!!

Paseó nerviosamente por el cuarto hasta que apareció su mayordomo.

—Busca a Ginés de Parra, necesito verle hoy mismo.

Cuando el mayordomo salió para cumplir lo ordenado, el de Poupet cerró de un portazo, se acercó a la mesa y barrió con su brazo cuanto en ella había. Tenía que andarse con pies de plomo porque la señora Cobos no era una vulgar mujerzuela a quien podía eliminarse en un camino. La dama tenía influencia, sobre todo entre la aristocracia extremeña, y ahora, en esos momentos, no podía dar un paso en falso. Pero había un modo de quitarse a aquella arpía de encima, y lo haría, por mucho que le pesara renunciar a un cuerpo y a un puterío como el suyo. Le quedaba una ligera duda de si realmente ella había llegado a leer la misiva, pero no iba a arriesgar todo por un cuerpo bien dispuesto, así que Balbina Cobos debería ser eliminada. Y él conocía el modo más sutil de hacerlo: la Inquisición se encargaría de ella.

A pesar de su prisa por entrevistarse con su hombre de confianza, hubo de esperar tres largos días porque no se encontraba en la ciudad, pero cuando lo tuvo ante él sus instrucciones fueron claras y concisas.

—¿Brujería? —preguntó el de Parra, que conocía a la dama, un tanto descolocado—. ¿Queréis que mueva los hilos para acusar a esa mujer?

—No me importa el dinero que tengas que gastar, Ginés —asintió Charles—, ni de qué sea acusada. Compra a quien sea menester, pero esa mujer debe ser presa. Y procura que luego, bajo la coerción de los interrogatorios y... acaso de la tortura, acabe muerta. La quiero bajo tierra, pero no deben relacionarme con ello.

—Entonces, ¿tengo carta blanca?

—Y hasta te conseguiré una bula papal si la quieres, pero elimínala.

El señor de la Chaux se relajó una vez que hubo despedido a su sicario. Todo se solucionaría en breve tiempo.

Pero ni él ni Parra supusieron que antes de abandonar precipitadamente Toledo, Balbina redactó una carta y envió a un hombre de su total confianza a entregarla en Tordesillas, a la reina Juana.

3

Encierro de la reina Juana. Tordesillas

Bernardo de Sandoval se retiró con un rictus amargo en los labios. Ocho largos años duraba ya el cuidado a la Reina y, aunque gozaba del beneplácito de Fernando el Católico desde que ordenara encerrar a su hija en aquella casona-palacio —lo que le reportaba cierto poder e inmejorables beneficios—, a veces se encontraba, junto con su esposa, tan preso como la propia Reina.

Recorrió el largo pasillo, apenas iluminado, hasta alcanzar la sala donde aguardaba desde hacía rato el mismísimo Regente.

Francisco Jiménez de Cisneros, Cardenal-Arzobispo de Toledo, Primado de España y Canciller Mayor de Castilla, se olvidó de la abeja que le había entretenido durante la espera y se volvió al escuchar abrirse la puerta.

—A su Eminencia —dijo don Bernardo, inclinándose ante él— le recibirá la Reina ahora en sus aposentos.

Trabajosamente, sus casi ochenta y un años le pasaban ya factura en los huesos, el antiguo confesor y consejero de la reina Isabel se incorporó y siguió a quien él siempre denominó carcelero de Juana. Mientras caminaba tras él por el corredor, pensó que aquel tipo no le agradaba y, Dios le perdonase, moriría sin tenerle un ápice de afecto, aunque sabía que eso no era de buen cristiano.

Pensó, también, en el motivo por el que Juana I de Castilla le había enviado recado para visitarla con tanta urgencia, cuando muy bien podía haber recibido una simple misiva con sus quejas. Porque, ¿qué otra cosa podía querer la hija de los reyes Isabel y Fernando, sino lamentarse, una vez más, de su encierro obligado?

Sus muchas obligaciones monopolizaban todo su tiempo y lamentaba perderlo en una entrevista vana. Por otro lado, no se encontraba últimamente demasiado bien de salud, aunque estaba seguro de que ello se debía, sin lugar a dudas, a la intromisión del deán de San Pedro de Lovaina, el preceptor del futuro Rey, don Carlos. Le estaba sacando de quicio. Adriano de Utrech había resultado ser como un grano en el culo, repartiendo consejos que interferían sus decisiones. ¡Aconsejarle a él, que había guiado a la Reina y usufructuaba la confianza de don Fernando! Y lo que era peor, el ministro de Maximiliano I, aquel idiota de Chievres, no se había conformado con enviar al de Utrech, sino que le endilgó al señor de la Chaux y a Amerstoff, dos malditos flamencos que pretendían imponerle su punto de vista en los asuntos de gobierno.

Sandoval abrió la puerta de las habitaciones privadas de la Reina y, con una nueva reverencia, le cedió el paso, cerrando luego y dejándoles a solas.

Apenas entrar, Cisneros recibió a Juana, que se acercó a él con los brazos extendidos.

—Eminencia —se arrodilló ella, y besó el anillo cardenalicio que se le tendía.

—Levantaos, Majestad —pidió el Primado—. Y perdonad si mi cansado cuerpo no os puede ayudar a hacerlo.

La Reina se atrevió a tomarle por el codo y le ayudó a acomodarse junto a la ventana. Ella misma, que había dado orden tajante de no ser interrumpida bajo ningún concepto, sirvió un vaso de limonada, que le ofreció. Cisneros lo aceptó y, con un gesto instintivo, se frotó la rodilla que le incordiaba desde hacía días. ¡Maldita vejez!

Juana esperó a que tomara un sorbo y luego se excusó:

—Eminencia. Debéis disculparme por haberos hecho venir hasta aquí, pero sabéis, como yo, que me tienen vigilada. Lo que tengo que mostraros no debe caer en manos enemigas.

Cisneros se envaró ligeramente y una chispa de interés curvó sus cejas. Depositó el vaso sobre la mesa cercana, echó hacia atrás el manto cardenalicio y cruzó las manos sobre el vientre.

—Vos diréis, mi Señora.

La Reina se acercó al secreter, una inmejorable pieza de ébano, curiosamente regalo de su padre, el mismo que la había encerrado allí aduciendo su razón perdida cuando murió Felipe el Hermoso, su marido. De uno de los múltiples cajones extrajo una pequeña pieza de cerámica que semejaba un pájaro. Le dio la vuelta y el cardenal fijó su mirada en los delicados dedos de la soberana, que se hizo con un papel doblado varias veces.

—La nota me la hizo llegar una mujer en la que confío

plenamente, Eminencia. Os ruego que la leáis —dijo, al tiempo que se la entregaba.

Así lo hizo el Regente. Su enjuto rostro se fue tensando a medida que pasaba las palabras. Al acabar, un tanto pálido, devolvió la carta a la Reina.

—¿Hasta dónde confiáis en esa persona, Majestad?

—Pondría mi vida en sus manos.

—Pero... esto... —movió la mano derecha, huesuda y delicada, como si quisiera espantar un mosquito.

—Esto, Eminencia, significa que la vida de Fernando, mi hijo, está en peligro.

Cisneros asintió. La esquela era clara y también él lo entendía así. Ella aguardaba, presa de la incertidumbre y el desasosiego.

—¿Qué puedo hacer yo, Señora? —preguntó.

—Vos sabréis dar con la tecla, encontrar a quienes buscan matar al nieto preferido de mi padre. No puedo acudir a nadie, salvo a vos.

Cisneros se removió inquieto en el sillón. Fernando había nacido en Alcalá de Henares y fue educado a la española e investido como Regente en el testamento de Fernando el Católico redactado en 1512. Sin embargo, el Rey lo revocó más tarde, favoreciendo a Carlos, criado en Borgoña y, para muchos, un extranjero flamenco.

Él apoyaba a Carlos, heredero legítimo del trono de España. Y sabía que Fernando, su hermano menor, representaba un peligro para la Corona, alentado como estaba por seguidores prestos a alterar la sucesión al trono. Conocía los rumores de conspiración que envolvían al hijo menor de doña Juana, azuzado por altos dignatarios y miembros poderosos de la Casa del Infante a que defendiera sus derechos. Y aunque era verdad que al muchacho, de tan solo 14 años, la corona no parecía atraerle demasiado, también lo era que sus afecciones en la corte no eran desdeñables, lo que representaba un peligro cierto.

—Así están las cosas, Eminencia —rompió la Reina el dilatado silencio del cardenal—. Necesito vuestra ayuda —imploró de nuevo.

El Inquisidor General de Castilla carraspeó, cada vez más pesaroso. Asumir como suya la causa de la Reina podía dar al traste con la legítima herencia de Carlos. Por otra parte, él personalmente no debía significarse por otra opción que no fuera la oficial, so pena de empañar su equidad o caer en desgracia. Pero si Fernando desaparecía de escena...

Al mirar a Juana, se fijó en las dos gruesas lágrimas que surcaban sus aún lozanas mejillas. La habían pintado algunos retratistas, pero ninguno consiguió plasmar en un lienzo el carácter vital y la fuerza de aquella mujer. Labios pequeños, nariz fina, ojos no muy grandes pero diáfanos. Un rostro cincelado por el tesón y la sensatez y que ahora la prisión estriaba con ojeras amargas. A sus 38años, aún resultaba atractiva. No era extraño que Felipe, al que todos llamaron siempre el Hermoso, se hubiera enamorado de ella.

—Sabéis, Majestad, que vuestro tercer hijo puede ser una amenaza para el patrimonio de Carlos.

—¡Ojalá fuera la heredera Leonor! —Se exaltó la Reina, que comenzó a caminar de un lado a otro airadamente—. Es bella y culta, la han pretendido reyes y su inteligencia es incuestionable. Seguramente ella hubiera sido una gran reina, pero los hombres... ¡siempre los hombres!, nos

31

relegan a la oscuridad como apestadas, como mero instrumento de descendencia.

—Calmaos, Señora —intentó sosegarla Cisneros.

—¿Calmarme? He visto la duda reflejada en vos. ¿Cómo puedo calmarme cuando, hasta vos, Eminencia, pensáis que Fernando estaría mejor muerto? —Se revolvió enfurecida, sin que le importara ya perder la compostura ante el cardenal y Regente. Era una madre desolada, una leona luchando por sus cachorros y presta a clavar sus garras para arrebatar del peligro al hijo que se encontraba en él—. ¡Por todos los santos del cielo, Cisneros! ¿Cómo voy a calmarme?

—¡No blasfeméis, Majestad! —la amonestó—. He hecho un largo camino, mi ancianidad me pasa factura y, francamente, mi Señora, no me gustaría, además, tener que escucharos en confesión ahora.

—¡No pienso confesarme por lo que clama mi corazón! —se defendió la Reina. Pero sabía que estaba sola y aislada. Estalló en sollozos y se dejó caer a los pies del cardenal, besando el bajo de sus vestiduras—. Eminencia, os lo ruego. Tomad cartas en este asunto. Fernando apenas ha empezado a vivir, es un niño. ¡Y es mi hijo! Lleva la misma sangre que Carlos.

—Señora...

—Habéis sido el confesor de mi madre y su hombre de confianza. Habéis hecho grandes cosas por España, Eminencia. ¿No vais a poder hacer algo tan pequeño por esta pobre mujer que os demanda caridad?

—Señora... —repetía el cardenal, a quien parecía que hubieran colocado un puercoespín bajo el trasero.

—Sois el Regente. Mi padre confió en vuestra Eminencia dejando España en vuestras manos. Tomad partido por mi causa, os lo ruego. Apresad a Fernando, enviadle a Flandes, con Maximiliano si ha menester. Prefiero no volver a verle, pero saber que sigue vivo.

El franciscano dejó que la Reina se incorporase por sí sola y se sentara frente a él. Juana, en silencio, se le mostraba impotente, como una simple mujer, rendida e implorante.

Y el viejo corazón de Cisneros se conmovió. Se había hecho cargo del gobierno de España al morir repentinamente el esposo de la reina Juana y volvió a tomarlo tras el fallecimiento de Fernando el Católico. Echaba de menos su vocación, su retiro y el recogimiento entre sus hermanos franciscanos de la Observancia. Diez años de soledad, de vida monacal, de paz... Hasta que la reina Isabel le eligió como confesor. Desde entonces, la desconfianza, las habladurías, los equilibrios del juego del poder político, las tramas y las conspiraciones le habían rodeado como un sudario. Y lo que era peor, sabía que moriría entre ellas, porque el Señor le llamaba ya y quedaba poco tiempo para presentarse ante Él.

—No deseo cargar con la muerte de vuestro hijo sobre mi conciencia, Majestad —concedió al fin—. Os prometo hacer cuanto esté en mi mano para protegerlo y enviarlo, sano y salvo, con su abuelo Maximiliano.

Juana se postró otra vez de hinojos. Cisneros se apresuró a levantarla. Ya frente a frente, limpió las lágrimas de su soberana con los pulgares y sonrió dulcemente.

—Conozco al hombre adecuado, mi Señora. Un noble al que no se puede comprar y de cuya habilidad y valor me he servido en otras ocasiones. Dejad de llorar, las lágrimas marchitan vuestra belleza.

—¿Le conozco?

—Diego Martín y Peñafiel —confesó Cisneros, asintiendo—. El licencioso, inmodesto, orgulloso y valeroso conde de Bellaste.

4

Se exhibía soberbio montando a caballo y el muy tunante lo sabía. Y lo explotaba.

Aquella mañana, la vestimenta de Diego, tan distinta al traje de seda que había lucido durante la ceremonia de sus esponsales, le hacía parecer un bucanero. Calzones negros ajustados a sus muslos, botas altas de piel hasta por encima de la rodilla y camisa blanca. El chaleco, de cuero negro, se ceñía a su figura delgada y fibrosa. A cada trote del impresionante caballo pinto que dominaba sin esfuerzo, su corto cabello despedía reflejos dorados.

Elena no quería deleitarse en aquella demostración de masculinidad contenida, pero lo estaba haciendo. Eso sí, tras los visillos de su habitación.

Echó una ojeada rápida hacia las sábanas y se le encogió el estómago. Instintivamente, se frotó la parte interior del codo, allí donde se practicase un pequeño corte para manchar ligeramente el inmaculado lienzo. A toda costa debía evitar cualquier rumor que pusiera en duda su virginidad perdida. Tampoco fue cuestión de desangrarse para visualizar el engaño, ¡faltaría más! Se encogió de hombros: tendría que ser suficiente.

Sin que pudiera evitarlo, volvió a fisgar por entre los visillos. Maldito Diego. Allí estaba, tan tranquilo, en tanto a ella le comía la incertidumbre. Tan frío e inalterable, tan dueño de sí mismo, mientras a ella se le desbordaba el enojo por una situación que no controlaba. Le vio echar la cabeza hacia atrás en una carcajada espontánea a la que se unió uno de sus acompañantes. ¿Quién iba a pensar que había pasado la noche en su propio cuarto, contiguo al suyo, en lugar de hacerlo entre los brazos de la mujer que acababa de desposar? ¡Qué bien disimulaba el muy bribón! Dio un manotazo a la cortinilla y fue a sentarse en el borde del lecho. El tálamo virginal y vacío que ella eligiera. Una cama que seguiría así por los siglos de los siglos. Amén.

Unos golpes discretos en la puerta la sacaron de sus cavilaciones. Las manos comenzaron a sudarle. Llegaba la hora de la verdad, se dijo. Ahora sabría si su engaño iba a ser efectivo.

—Adelante —concedió. Y se relajó aliviada ante el rostro ligeramente arrugado de Camelia Lawler.

—¿Estás visible, cariño?

—Pasa, abuela.

Doña Camelia entró y cerró la puerta. Sus ojos volaron hacia la cama solo un segundo y luego se acercó al armario. Sin una palabra, rebuscó y se volvió hacia Elena mostrando un vestido. La joven asintió con desgana y ella lo dejó sobre la cama y se aprestó a hablar con su nieta.

—Yo te ayudaré esta mañana, niña —le dijo—. Las criadas están aún intentando poner un poco de orden abajo. Algunos de los invitados ya salieron a cabalgar. Y Diego te espera en el patio.

—Contoneándose como un pavo real, ya le he visto.

Las cejas perfectamente delineadas de doña Camelia formaron un arco.

—Es muy lógico que se muestre ufano. A fin de cuentas, se ha casado con la muchacha más bonita de Toledo.

—Abuela...

—¿Quieres que te pida agua?

—Ya me he aseado —repuso, señalando con la barbilla el biombo tras el que descansaba una bañera de bronce.

—Entonces, vístete. Es costumbre que el marido muestre las propiedades a la esposa.

—Conozco Los Arrayanes de punta a punta.

—Aun así —zanjó la anciana—. Las normas son las normas y tú debes cabalgar junto a tu flamante esposo. ¿O estás... demasiado incómoda?

El rubor acudió a las mejillas de Elena ante la solapada referencia a su noche de bodas. Si ella supiera... Se levantó, se sacó el camisón por la cabeza y se acercó a su abuela. Agradeció que fuera ella quien la ayudase a vestirse, porque ahora mismo no soportaría bregar con las miradas inquisitivas y las risitas estúpidas de las criadas, convencidas de la bondad de su entrega al señor.

Desestimó la segunda enagua y las medias. El tiempo estaba resultando demasiado caluroso para embutirse en metros y metros de tela, y el vestido ya era de por sí lo suficientemente agobiante. De haberse encontrado en Toledo hubiera vestido algo sencillo, de algodón quizá. Pero ahora era la condesa de Bellaste recién desposada. Y eso, le gustara o no, la obligaba a seguir un rol. Diego y ella lo habían pactado y no podía faltar a la palabra dada.

A pesar de todo, el vestido era una maravilla. Marrón, de seda natural, con motivos florales más claros de fondo, pespuntes en la espalda y dos pinzas que le entallaban el pecho. El cordoncillo de pasamanería marcaba el cuello en forma de V y los puños, y los botones de perlas lo dotaban de un toque juvenil muy elegante.

Doña Camelia le presentó unos zapatos a juego, forrados también de seda marrón con fino tacón.

—¿Quieres que te retoque el pelo? —preguntó la anciana.

Elena se fijó en el intrincado peinado que lucía su abuela, reflejo de una personalidad altiva, sobria, encantadora. A pesar de sus 77 años, Camelia Lawler de Zúñiga, aquella pertinaz inglesa que abandonara todo por amor a su abuelo, conservaba la esbeltez y el garbo de su juventud.

—No te preocupes, me lo dejaré suelto.

—Te lo recogerás y te pondrás una toca, como está mandado.

—No insistas, abuela. Lo llevaré suelto.

Doña Camelia puso los ojos en blanco. O ella chocheaba, o su nieta estaba de un humor de perros. Y teniendo en cuenta que Diego no era precisamente un ser pusilánime, debía de haber una razón de peso.

—¿Qué es lo que te pasa? —preguntó, ayudándola con los botones.

—Nada.

—Elena, estás hablando con tu abuela. Conmigo tendrás que ser mucho más convincente.

La joven se calzó los zapatos y luego, para contentar a

la anciana, se recogió la melena con una cinta para que le cayera en cola de caballo.

—No pienso ponerme toca. Así tendrá que bastar.

Doña Camelia no insistió. Contradecir a Elena cuando se empecinaba en mostrarse terca solo conseguiría crisparla aún más. Se acercó para retocarle algunos mechones sueltos y la besó en la coronilla.

—Tesoro. ¿Tan malo ha sido?

—Le eché del cuarto —soltó de golpe. Los ojos claros de su abuela la enfrentaron a través del espejo—. Yo no quería este matrimonio y se lo dejé claro. Diego estuvo de acuerdo en que solamente estaremos casados de cara a la galería.

A doña Camelia no le sorprendió en absoluto que su nieta hubiera hecho semejante propuesta al conde de Bellaste, pero que él la hubiera aceptado era harina de otro costal.

—¿Así? ¿Sin más? ¿Es que los dos estáis locos?

Elena no quiso darle más explicaciones y se apresuró a salir, no dejando otra opción a su abuela más que seguirla. Bajó las escaleras deprisa, cruzó el salón sorteando a los criados que se afanaban en ordenar y limpiar. A su paso, inevitablemente, se levantaban ojos escrutadores, lo que no le pasó por alto, y aceleró el paso para salir al patio.

Apenas apareció, las conversaciones se extinguieron. Saludó con gesto cordial a los invitados que rodeaban a Diego y repartió sonrisas a los cumplidos. Al mirar a su esposo, se le congeló la expresión. Él, sin embargo, se ladeó sobre la montura, solicitó su mano y depositó un beso breve en el dorso.

—Buenos días, esposa mía.

Elena se mordió la lengua y esperó a que le acercaran su caballo: una yegua de pelo canela y notable alzada, enjaezada con gusto. Pero el recado de un solo estribo en el flanco izquierdo del animal y el cabezal donde se afianzaba la pierna derecha le hicieron arrugar su aristocrática nariz. A ella le gustaba montar a horcajadas.

—No estoy acostumbrada a este tipo de silla —le dijo en tono quedo.

—A partir de ahora, sí —repuso Diego en la misma entonación siseante de ella—. Las piernas abiertas, mi señora, solo en nuestra habitación.

Fue un enunciado de dominio que la dejó muda, que tomó por insulto, pero antes de que pudiera reaccionar Diego desmontó, la tomó de la cintura y la alzó hasta la silla como si fuera una pluma. El calor de sus manos enérgicas traspasó la barrera de la tela, provocándole un sofoco que se acrecentó cuando, con todo el disimulo del mundo, le acarició una de las nalgas.

Camelia Lawler, que no perdía detalle desde el otro lado del patio, se frotó el puente de la nariz, desanduvo sus pasos y se perdió en el interior de la casa.

5

Valladolid. Residencia de Germana de Foix

La expresión de la dama francesa no dejaba entrever lo que pensaba. Algo característico en ella, sabedora de que quienes la rodeaban no eran de fiar. Esparció los polvos sobre su firma, sacudió el pergamino, lo sopló y lo dobló cuidadosamente antes de verter un poco de lacre y estampar el sello de su anillo en él. Lo dejó a un lado, se incorporó y caminó hacia la puerta. Al abrirla, el sujeto que aguardaba se plegó en una reverencia.

—Pasad, don Froilán —pidió la sobrina de Luis XII de Francia.

El aludido, de aspecto adusto, todo él vestido de negro, entró y cerró. Le desagradaba tener que volver a salir de Valladolid, pero era lo que había. Su plena dedicación a doña Germana de Foix duraba ya casi diez años, desde que el Tratado de Blois entre el Rey francés y el ya difunto soberano Fernando el Católico dispusiera que la dama debía desposarse por poderes. La hija del conde de Etampes y vizconde de Narbona era para él el máximo exponente de la feminidad. Y aunque no era demasiado bonita, la distinción con que se conducía y su hablar pausado habían ganado su corazón, por mucho que dijesen de ella que era intransigente y ostentosa.

Froilán Montero tomó la carta que ella le tendía y la hizo desaparecer en los pliegues de su jubón.

—Ya sabéis a quién entregar esta misiva —dijo ella, acercándose al alto ventanal ojival desde el que tantas veces contemplara el Duero.

—Cumpliré vuestro encargo con celeridad, mi señora.

Ella asintió sin tan siquiera dedicarle una mirada. Sabía de su servilismo y conocía el amor callado que le profesaba, lo que no dejaba de divertirla. Antes de que saliera se volvió y correspondió con un ligero movimiento de cabeza a la nueva reverencia con que se despidió. Una vez a solas, Germana se dio cuenta de que sus manos temblaban imperceptiblemente y las escondió a la espalda. Odiaba aquella muestra de debilidad. Tiró del cordón con el que reclamaba al servicio y esperó, impasible, a que acudiera su más incondicional dama de compañía. La única persona en quien volcaba su confianza.

—Señora. —Se personó un minuto después una mujer delgada de maneras suaves cuya edad era difícil precisar; lo mismo podía haber tenido veinte que cuarenta años.

A la francesa no le gustaba su aire anodino, pero sabía que con ella podía estar segura, tanto como con Montero. Por eso soportaba su presencia, aunque le recordaba siempre un pájaro de mal agüero.

—Gabina, que preparen el carruaje. Quiero dar un paseo junto al río.

—Sí, señora.

De nuevo aislada en la penumbra de su despacho, oteó por el ventanal. Abajo, unos chiquillos correteaban jugando a la gallina ciega. Se le dibujó una media sonrisa que se tornó en rictus casi de inmediato, recordando al hijo al que alumbró hacía ocho años y que murió a las pocas horas de nacer. No volvió a quedarse embarazada del rey don Fernando, aunque él insistiera una y otra vez. Se le agrió el humor. Había respetado al Rey de España, sí, pero ¿quererlo? ¿Cómo querer a alguien que le triplicaba la edad cuando se casaron?

En un repentino acceso de furia golpeó el cristal. ¿Qué había ganado ella con aquel matrimonio? Cierto que su tío le cedió los derechos dinásticos del reino de Nápoles, pero ese título había vuelto a Francia al morir Fernando sin conseguir descendencia con ella. Y acaso por eso, el muy tozudo, estaba ahora en la tumba. Se decía que había tomado unas extrañas hierbas para potenciar su virilidad. También se rumoreaba que fueron aquellas hierbas las que le postraron y acabaron por matarlo. Solo le compensaba el usufructo anual de 50.000 florines que le había quedado. Pero también aquel desaparecería si volvía a casarse.

Al poco reapareció Gabina.

—El coche aguarda ya, mi señora —anunció.

Germana se echó un chal sobre los hombros y caminó despacio por el corredor que accedía a la doble escalera. Sus pies, enfundados en escarpines anaranjados, como su vestido de brocado y el costoso topacio que colgaba sobre sus senos, parecían levitar sobre el suelo sin ápice de ruido. Siempre seguida por su criada, atravesó el patio de columnas y llegó al carruaje. Negro, de madera tallada, luciendo el blasón de Fernando. No le daba buena espina aquella maldita carroza, como si al entrar en ella metiera un pie en la tumba. Pero prefería pasear dentro de aquel féretro a entumecerse entre las cuatro paredes donde pasó el último año, desde que enviudara. Aceptó la mano de un lacayo para subir al coche e hizo sitio a Gabina. De inmediato, cuatro guardias montaron a caballo apostándose junto a la carroza y el latiguillo del cochero puso en marcha el vehículo sin apenas darles tiempo a acomodarse, lo que provocó que se golpearan con la mampara.

—Cualquier día de estos voy a hacer que sacudan a ese inútil —masculló Germana, frotándose el codo.

Ya en campo abierto descorrió la cortinilla y el sol acarició su cara. Aspiró el aroma de los pinos y, al paso del coche, un par de musarañas corrieron a esconderse. Más allá, en una charca, un grupo de avutardas descansaban y a lo lejos una partida de alcaravanes la deleitaron con su vuelo en el azul del cielo vallisoletano.

—Mi señora —rompió el silencio la criada—. ¿Puedo sincerarme con vos?

Germana le prestó atención.

—Estamos solas. Habla.

—Ya sé que no soy quién para deciros cómo actuar, señora, pero sabéis que daría mi vida por vos y... —dudó en seguir, tragó saliva y acabó—: Creo que os estáis poniendo en peligro.

—¿Qué quieres decir? —La otra guardó silencio—. Vamos, habla, Gabina. Sabes que me irrita que empieces a contarme algo y luego me mantengas en suspenso.

—Me refiero a la misiva.

—Ah, es eso. —Su criada estaba siempre al tanto de todas sus cosas, pero la necesitaba como confidente y sabía que no la traicionaría.

—Si os relacionan con ese asunto del infante Fernando, el hijo de la reina Juana, vuestra vida podría correr peligro.

—Sé el riesgo que asumo, no hace falta que me lo recuerdes.

—Conozco la carta que don Fernando el Católico, vuestro difunto esposo y llorado Rey nuestro, escribió a su nieto don Carlos antes de morir, mi señora. Sé, por vos, que a él le pedía cuidaros, y a vos acatar sus decisiones cuando sea ungido soberano. Dejad las cosas así y no toméis parte en nada. El que deba ser Rey, será. Pero si sospechan que habéis colaborado con los adictos al infante Fernando, ¿en qué posición quedaríais vos, señora?

—En la misma que estoy ahora. Con ambos me unen lazos familiares.

—Pero no de sangre. Y puede que a ninguno de los dos le agrade protegeros si cree que habéis conspirado a favor de las dos partes.

—¡Yo no conspiro contra nadie, Gabina! —se enojó Germana—. Lo único que hago es campear en dos frentes. Nada de comprometido tiene la carta que he entregado a Montero, solo concedo lo que me han pedido.

—Suficiente.

—Gabina, Gabina... No te preocupes por esas nimiedades. Sé lo que me hago.

—Poneros entre la espada y la pared. Eso es lo que estáis haciendo.

—Ni mucho menos. Ni estoy descaradamente a favor de Carlos ni apoyo a los que piensan que Fernando debería ser el legítimo Rey de España. Ni uno ni otro podrá reprocharme nada, sea cual fuere el que gane en esta contienda. Aunque si he de ser sincera, me preocupa que Fernando pudiera no sentir apego hacia mí si es el futuro Rey. Una abuelastra que no lleva sangre española...

—¿Acaso él no fue engendrado por un flamenco? —argumentó Gabina—. Os lo suplico, señora: olvidad todo este enredo y disfrutad de lo que tenéis sin inmiscuiros. Dejad a los hombres que decidan, que sean ellos quienes se manchen las manos en maquinaciones e intrigas y quedad al margen.

Germana se acomodó las faldas y punteó con una uña una de las hojas bordadas en la tela para rebatir luego a su criada:

—¿Los hombres? —Una corta carcajada se le escapó sin quererlo—. ¿No fueron ellos quienes sellaron mi futuro cuando yo apenas era una muchacha? ¿No fueron acaso varones, nobles de Castilla —ironizó—, quienes se opusieron a mí, convencidos de que mi matrimonio era solo una maniobra para apoderarme del reino de Aragón? —Cerró la ventanilla, molesta por el polvo que levantaban las pezuñas de los caballos—. ¿Esos hombres? No, Gabina. Estoy cansada de que hayan sido varones los que han conducido mi destino desde la cuna. Ahora no tengo esposo al que rendir cuentas, y seré yo misma la que trace el rumbo de mi vida.

—Os arriesgáis sin necesidad —insistió la otra.

—Veremos. Falta poco para saber en qué acabará esta solapada guerra por el poder. Menos aún, para conocer en persona a Carlos. —Sus ojos chispearon—. El pequeño óleo que me hizo llegar para Navidad lo muestra apuesto.

—Un muchacho de apenas 17 años al que casi le dobláis

la edad, señora —objetó la criada, recelando del repentino brillo en la mirada de su ama.

Germana regaló a su criada un gesto huraño. Hizo como si obviara el comentario sobre su edad, pero la sutil puya le llegó al alma porque ella no era una anciana, sino una mujer que no había cumplido la treintena; aún se sentía joven.

La sirvienta no volvió a insistir, pero la intranquilidad le obligó a removerse en el asiento. Sabía que la corte era un nido de víboras y había muchos que renegaban de su señora por su nacimiento francés. Incluso se rumoreaba que podía haber sido la causante de la muerte del viejo monarca por medio de veneno. Nadie se había atrevido a llegar a más en sus acusaciones, pero sin duda más de uno y más de dos estarían encantados si su señora fuera deportada y retornase a Francia.

6

Los Arrayanes se conservaba tal y como la recordaba Elena, con las lógicas mejoras que se habían ido incorporando a lo largo de los años, como aquel nuevo pabellón junto a las cocinas que no había tenido oportunidad de ver y que Diego no le había mostrado.

El espacioso zaguán con bancos de hierro forjado y repleto de macetas que bullían de hoja verde se convertía así en un reducto acogedor, como una promesa cálida que se extendía al resto del palacete. Las amplias escaleras de piedra pulida abordaban los pisos superiores, alfombradas en grana y dorado; los salones de primorosos techos artesonados que tejían tendencias cristianas y musulmanas, donde los ojos se quedaban prendados en el hilo de trabajadas maderas. Patios, galerías y jardines lidiaban en hermosura y luminosidad.

Atravesó su habitación pasando la yema de los dedos sobre la pulida superficie de los arcones y el elaborado secreter, clareado por la luz que se filtraba por el alto ventanal. Su mirada se perdió un momento en la cama con baldaquín de finas columnas talladas con motivos florales. El lecho que ocupaba en solitario y al que el condenado Diego no había hecho, por suerte, intentos de acceder.

Su indiferencia, sin embargo, le molestaba. Pero ¿por qué le irritaba tanto el hecho de que su esposo no hubiera exigido nada después de tantos días? Apenas se había acercado a ella aunque no era exactamente lo pactado. Ni siquiera ella entendía qué la tenía enojada y se daba cuenta de estar viviendo en una contradicción: él hacía lo que ella había exigido, pero, en realidad, no quería que lo hiciera. Porque al pensar en él, el corazón se le aceleraba sin remedio y deseaba tenerle cerca. Le humillaba que su flamante marido hubiera consentido su distanciamiento con tanta frialdad, y la zozobra sobre lo que pudiera estar tramando la mantenía despierta por las noches, atenta a los ruidos en el cuarto anexo que ocupaba Diego. Por un lado temía que se decidiera a entrar, y por otro, anhelaba que lo hiciera.

En más de una ocasión estuvo tentada de llegar a la puerta que separaba las habitaciones y traspasarla, solo para comprobar si las habladurías que le habían llegado en forma de cuchicheos entre las criadas eran ciertas. ¿Sería verdad que Diego dormía desnudo? El hecho en sí conseguía sonrojarla. Y lo que era peor, alimentaba sus dudas. ¿Cómo era que estaban enteradas las sirvientas?

Aunque no tenía derecho a reprocharle nada, porque nada le entregó después de la ceremonia, se indignaba pensando en que aquel juerguista pudiera aprovechar su posición y su negativa a compartir el lecho para retozar libremente con el servicio. Claro que, ¿de qué se extrañaba?

A Diego le precedía cierta fama de inmoral y ella conocía de buena tinta los laureles que le adornaban.

Pero no dejaba de ser una cuchillada a su orgullo saber que él podía continuar con sus conquistas delante incluso de sus narices. Le había pedido... No. Le había exigido comportarse como lo que ahora era, la condesa de Bellaste. ¿Y él? ¿Pensaba sobrellevar su nuevo estado con decencia? Lo dudaba mucho.

Le sobresaltó, tensa como estaba, el chirrido de la puerta, pero se relajó al ver a su abuela.

Doña Camelia lucía un vestido gris perla y una mantilla de encaje blanco de Bruselas. Elegante y un poquito vanidosa, como siempre, renegaba de la gorguera, moda que se imponía ya, luciendo un cuello despejado y sin apenas arrugas. La crespina que le cubría el cabello, en seda blanca y oro, le daba un aire juvenil.

—¿Piensas tomar los votos, pequeña?

La pregunta, directa, como todas las que hacía su abuela, la pilló por sorpresa.

—Pensaba salir ahora —respondió.

—¿En camisón?

El rubor tiñó las mejillas de la joven. Se acercó al arcón y rebuscó en él. Doña Camelia la hizo a un lado y sacó una camisa y un vestido de raso de color albaricoque y mangas acuchilladas. Le tendió ambas cosas y Elena se dio prisa en acicalarse. Realmente, le apetecía salir de la habitación y recibir el aire en el rostro.

Mientras se ponía la camisa, su abuela le dijo:

—Hay una carta para ti.

—¿De mi madre? —preguntó, pretendiendo mostrarse fría.

Doña Camelia se fijó en ella. Y se preguntó, una vez más, qué extraña enfermedad atacaba a su nuera para no haber amado nunca a aquella muchacha. Isabel Márquez se había casado con su hijo para escapar de una vida miserable, aupada en su insípida belleza. Aunque todos pensaban que la decisión de llevar a cabo el matrimonio de Elena con Diego provenía de Enrique Zúñiga, ella sabía bien que habían sido los aires de grandeza de Isabel los que habían llevado a hechizar a su esposo para que se uniera, por medio de su única hija, a los Bellaste. Y lo había conseguido. Se había convertido así en la madre de una condesa, sin importarle si la muchacha estaba o no de acuerdo con aquella unión. Sin embargo, rehusó acudir a la ceremonia, temerosa tal vez de ser repudiada por Elena.

—Tu madre no escribirá —contestó—. Tiene suficiente con deleitarse en el poder que ahora tiene gracias a tu boda.

—En realidad, es una ventura haber escapado de sus argucias, aunque para ello haya tenido que dejar atrás personas a las que quiero.

—Pero ellas no te han abandonado a ti —le dijo, tendiéndole la misiva—. Es de Marina.

Elena no pudo disimular su alegría, y así, a medio vestir, se sentó a leer las nuevas de su mejor amiga. Las líneas escritas pasaron raudas ante ella, y con cada palabra, su semblante adquiría mejor color. Al acabar miró a su abuela.

—Viajará a Santander —le contó—. Manda su cariño para ti, abuela. ¡Me hubiera gustado tanto tenerla aquí, que nos hubiera acompañado! Esta cárcel sería otra cosa muy distinta en su compañía.

—Los Arrayanes no es una prisión, Elena —la regañó la dama—, sino tu casa.

—Sí. Una casa en la que, a cada paso, me veo forzada a cruzarme con el hombre al que me han casado a la fuerza.

Doña Camelia chascó la lengua, se acercó a la coqueta y recolocó sus ya ordenados cabellos, observándola a través del espejo.

—Diego no es ningún monstruo. De niños erais inseparables, aunque os pasabais la vida regañando. Y es un hombre muy atractivo.

—Demasiado.

Doña Camelia se volvió, los dedos enganchados en la redecilla.

—¿Desde cuándo es desagradable tener un esposo atractivo?

—Desde que escucho por los pasillos que duerme desnudo.

A la inglesa le subió la turbación a la cara, pero luego se echó a reír.

—¡Dulce nombre de Jesús! —dijo su abuela, intentando contener la hilaridad, recordando sus años mozos—. Igual que tu abuelo.

Elena no contestó, pero sonrió. Dándole la espalda, se guardó la carta de su amiga y se puso el vestido. Enfrentarse a la picaresca de su abuela le servía como mecanismo de escape. Escuchando sus apagadas risas en tanto la ayudaba a vestirse, acabó por activarse su buen humor. ¿Por qué negar que también a ella le cautivaba que Diego se saltara las normas del decoro? No pensaba comprobarlo en primera persona, pero no dejaba de ser irresistiblemente estimulante imaginarlo. Olvidó el pecaminoso pensamiento tan pronto le vino a la cabeza porque figuraciones de tal calibre le alteraban los nervios.

Sin embargo, al atravesar del brazo de su abuela el ancho portalón que daba al patio, se topó con un corpachón que la hizo retroceder y volver a pensar en cosas indebidas. Unos brazos de acero ciñeron su cintura evitando que cayera y la mezcla de fragancia a cedro y cuero del intruso la embriagó precedida de un jadeo. Diego de nuevo.

Los ojos ámbar de su esposo la devoraban pecaminosos, solazándose en la porción de piel que no cubría el vestido.

El aire se le atoró a Elena en los pulmones, los latidos de su corazón se atropellaron y el pulso le latió frenético.

Lenguas de deseo devoraban a Diego teniendo a Elena pegada a él. El apetito voraz, reprimido tantos días, provocó rigidez en sus músculos, estimuló su anhelo, dibujó ante sus ojos el sueño que veneraba desde que era un muchacho imberbe, enamorado como un mezquino de aquella coqueta que ahora era su mujer solo de palabra. Por un segundo, jugó a asumir su rol de sujeto disipado besándola, tomando lo que por ley le correspondía y ella le negaba. Pero el atisbo de zozobra en aquellas pupilas azules que le trastornaban tensó un músculo en su rostro y evaporó la locura pasajera.

Aún no la había soltado del todo y ya lamentaba su ausencia. Le hizo una exagerada reverencia y se perdió en el interior de la casa, maldiciendo su propia cobardía a la que despedía el suspiro tranquilizado de ella.

La había amenazado con seducirla, sí. Pero ¿hasta cuándo iba a posponer aquella bravata? Aunque la buscaba en cada rincón, a cada paso sin que ella lo supiera, escapaba como un conejo asustado cuando la tenía enfrente. «¡Quién te ha visto y quién te ve!», pensó flagelándose. Sin remontarse muy atrás en el tiempo, hubiera sido capaz de cualquier locura por conseguir a esa mujer, y ahora, sin embargo, le aterrorizaba dar un paso en falso y cavar, más honda aún, la zanja que los separaba.

7

Elena desvió su atención de la planta casi cuadrada del orgulloso castillo que se alzaba a lo lejos, en el punto más alto de Trujillo, dominando la comarca. Aquella mole de torres albarranas y puente levadizo cuyos cimientos fueron levantados por los árabes hacía siglos, donde tantas veces jugara en el Patio de Armas o escondiéndose de sus cuidadoras, y donde se izaron, por primera vez en España, las armas de Aragón y Castilla, el 15 de enero de 1479, cuando llegó la triste noticia del fallecimiento de Juan, el hijo de los Reyes Católicos. Su padre se lo había contado un millar de veces.

La plaza del mercado bullía de animación aquella mañana y Elena se escabulló entre los tenderetes y puestos, asaeteada por las, toscas unas veces y almibaradas otras, ofertas de los vendedores. Aceitunas, frutas, madera y cuero, vasijas de barro y cristal, telas y zapatos, espadas, fundas, pedrería y joyas. Un abigarrado vocerío en el que casi cualquier producto tenía cabida. Siempre le gustaron las ferias y mercadillos, el ambiente multicolor que impregnaba cada rincón, el barullo y la alegría de las gentes. Disfrutaba de ellos del mismo modo en que lo hacía de las fiestas de la Virgen de la Victoria, cuando cada paisano celebraba y recordaba la reconquista de Trujillo. Desgraciadamente se las había perdido durante sus años de ausencia.

Se paró ante un puesto para examinar una daga ricamente cincelada, envainada en terciopelo verde.

—Ha elegido acertadamente, mi señora —se le acercó zalamero el mercader, un sujeto fornido picado de viruela—. Es una pieza única.

Acostumbrada a regatear con los vendedores de Toledo, Elena desvió la mirada hacia otros objetos, disimulando su interés y centrando su atención en un arma blanca bastante más burda.

—Me gusta esta.

—Esta es mucho más corriente, mi señora —le advirtió el sujeto, exponiendo ante ella la daga elegida en primer lugar, al tiempo que ponderaba su origen—. Fue fabricada hace casi tres siglos y es una alhaja confiscada al mismísimo Muhammad ibn Hüd, cuando acudió a socorrer Trujillo enfrentándose al Obispo de Plasencia.

—Demasiado antigua.

—Por eso es valiosa. Luciría que ni pintada al costado de una dama como vos, señora —insistió el mercader, acercándosela más, aventurando un alto precio por venderle aquella joya.

Ella prefirió mostrarse esquiva para abaratar la escandalosa postura, pero le fue imposible apartar los ojos de la daga. De oro y esmeraldas su empuñadura y delicada hoja de doble filo con caracteres en árabe, resultaba una verdadera tentación. Desde que cumpliera 14 años, había llevado siempre un puñal colgado del cinto, bien a la vista cuando cabalgaba campo a través o bien oculta bajo la capa en sus visitas a la ciudad. Notar su contacto a la cintura siempre le provocó un placer de seguridad y no pensaba desterrar aquella costumbre por muy condesa que ahora fuera. Si le gustaba a Diego que la usara, bien; en caso contrario, podía irse al infierno.

Aceptó el arma, sopesándola en sus manos y como si de algo propio se tratara. Deslizó su oferta, que el mercader rechazó, volviendo a hacerse cargo de la daga para depositarla donde estaba antes, bien visible, retando a otro posible comprador. Y retándola claramente a ella.

Elena dudó. Disponía de fortuna propia, era cierto, pero aún no había llegado desde Toledo el efectivo que su padre le legó en herencia, por lo que, si la compraba, debería cargar el importe a Los Arrayanes. Eso era lo último que haría. No quería estar en deuda con su esposo ni siquiera en el montante de aquel capricho. Ya era suficiente con que él cubriera ahora su manutención. Pero los antojos eran otra cosa. En cuanto se hiciera cargo de su patrimonio, iba a insistir en pagar sus propios gastos.

—¿Has acabado, niña?

La voz de su abuela hizo que olvidara sus reflexiones y el arma. Tomándose del brazo de la dama se despidió del vendedor con una inclinación de cabeza y fueron caminando hacia la puerta de la Epístola de la iglesia de Santa María la Mayor, el edificio más importante de Trujillo, a la que no acudía desde hacía casi ocho años, desde la última vez que pisó como invitada la casa de su recién estrenado esposo. Tenía grabada en sus retinas la bóveda de crucería y el magnífico retablo de veinticinco tablas pintado por Fernando Gallego.

—¿Qué mirabas tan absorta en ese puesto? —preguntó doña Camelia.

—Una daga.

—¿No llevas ya una? —Se fijó en la mantilla que cubría el rubio cabello y caía sobre el vestido de su nieta velando la funda de terciopelo donde ella sabía que la guardaba.

Elena suspiró, mojó las yemas de los dedos en agua bendita y se persignó al tiempo que hacía una genuflexión.

—Esa era una maravilla —dijo en voz baja, respetando el silencio interior del templo.

—Y ¿por qué no la has comprado, entonces? —susurró Camelia a su vez.

—Aún no dispongo de mi patrimonio y no quiero pedirte prestado.

Frunció el ceño la abuela, desconcertada por el comentario, e hizo la señal de la cruz en su frente, lamentando la testarudez de su nieta. A punto estuvo de replicar, pero se abstuvo, aunque durante el tiempo que permanecieron arrodilladas en el banco no dejó de pensar en que aquella actitud independiente podría acarrear problemas con Diego.

Y vaya si lo hizo.

Apenas regresar a Los Arrayanes.

8

Desde la ventana de la salita de lectura, Elena fijó su atención en la extensión de olivos cuyos troncos rugosos soportaban un ramaje fértil que asemejaba un mar de hoja verde. Su abuela, acomodada en una mecedora, dormitaba, la costura sobre el brazo del mueble y la caja de labores a sus pies, junto a uno de los perros perdigueros. Ella y el animal se habían tomado cariño y el chucho no dejaba a la dama ni a sol ni a sombra.

Ahora, toda aquella vasta llanura ligeramente ondulada de terreno cuajado de olivos le pertenecía por matrimonio.

Durante el verano, los frutos habían engordado, tornándose lustrosos, prestos a recolectarse en noviembre. Elena se recreó mirándolos. Siempre le agradaron aquellos campos, desde que era una niña, cuando visitaban a los dueños de la finca y pasaban allí largas estadías. ¡Cuántas veces se perdieron Diego y ella en los olivares! ¡Cuántas veces robaron aceitunas entre risas y bromas! Sonrió al rememorar aquella vez en que Diego se quedó encerrado en el hangar de la molienda. Bueno, quedarse atrapado no era la expresión más correcta puesto que había sido ella quien le encerró allí, como venganza por haberle echado melaza en el pelo durante una de sus muchas discusiones. Asustada luego por el jaleo que se organizó, había guardado silencio mientras la familia de Diego y la mayoría de los trabajadores de la hacienda peinaban los alrededores de Los Arrayanes, llegándose incluso hasta el río temiendo que se hubiera caído, recorriendo sus lindes durante toda la noche. Calló, sí, primero por diversión y después por miedo a las represalias. Solamente al atardecer del día siguiente, viendo a todos desesperados, se atrevió a decir por fin dónde estaba el muchacho. A ella no le aplicaron castigo alguno porque era pequeña, pero a él le cayó una reprimenda de campeonato y le prohibieron que saliera de su cuarto durante una semana completa. Diego había jurado que aquella se la pagaría con creces.

Y la pagó, claro que la pagó. Una tarde en que estaba absorta mirando a los cochinos, Diego la empujó por encima de la barda yendo ella a caer sobre los desperdicios de la pocilga y manchándose su precioso vestido. Se vengó Elena al día siguiente, sin tardanza, aflojando las cinchas de la silla de montar de él y provocándole una caída que casi le hace partirse la crisma. La cosa no acabó ahí. No mucho después se enzarzaron en otra trastada que acabó en discusión, y ella, para defenderse, le volcó un cubo de abono en la cabeza. Fue entonces cuando él, como represalia, le había cortado su larga trenza.

Elena no disimuló otra sonrisa. Aunque Diego era mayor que ella, habían sido uña y carne, compañeros de juegos y de bribonadas. Ella ideaba: le instaba a cazar conejos, a bañarse en el río, a esconderse, a robar aceitunas o dulces, a bordear lo permitido. Y él la seguía siempre. La mayor parte de las veces porque eran divertidas sus tropelías, en otras porque se activaba en él el sentimiento de protección hacia la más pequeña. Aunque, en general, los desórdenes solían acarrear siempre castigos para Diego.

Elena aceptó que siempre había estado enamorada de él, desde la infancia. Había sido su galán, su caballero, el que cargaba con las culpas y callaba para salvaguardarla. Eso sí, luego se vengaba y reía como un bribón cuando la encolerizaba o le hacía alguna jugarreta. Se enamoró del chico de 14 años con ese amor de la niñez, puro y sin malicia; se embelesó con el impúber de 15 al que ya le asomaba un atisbo de vello en el rostro; y acabó prendándose del muchacho de 17, alto y fibroso que, según ella, cabalgaba como nadie, manejaba la espada como ninguno e iba a ser siempre su paladín. Pero Diego empezó a pasar cada vez más tiempo con sus compañeros de estudios y menos con ella. ¿Qué podía ofrecerle una mocosa de pocos años en esa época, cuando las muchachas le perseguían ya con todo el descaro?

Sus sueños infantiles para con Diego se rompieron de raíz la tarde de un lejano mes de agosto, cuando le pilló besándose con una desvergonzada morena algunos años mayor que él, en el molino. Ella, a su corto entender de entonces, solo vio que aquella muchacha acababa de robarle lo que más quería en el mundo. Les insultó a los dos con una andanada de palabrotas que nunca antes se había atrevido a utilizar. Diego había profanado con aquel acto su inocencia y sus sueños. Su comportamiento ordinario y osado provocó que Diego se enfureciera con ella, la llamara «niñata» y le retirara la palabra durante días. De hecho, cuando ella regresó a Toledo seguían sin hablarse. Después de tanto tiempo, aún le mortificaba recordar lo mucho que había sufrido por su alejamiento.

Cuando regresó el año siguiente a pasar sus vacaciones, nada fue ya igual. Diego intentó acercarse a ella, pero le rehuía, contrariada, dolida aún por la traición, por ese «niñata» que recordaba con humillación y por su posterior mutismo. Se negó en redondo a regresar a Los Arrayanes, nadie pudo convencerla ni amenazándola con un castigo. Luego supo que Diego había partido hacia Flandes buscando aventuras y gloria, y a ella se le había roto el corazón temiendo que le pasara una desgracia y no volviera a verlo nunca más. Para no sufrir, se había obligado a olvidarlo.

Ahora, sin embargo, estaba casada con él. ¡Qué ironía! Aquel que se burló de sus sueños infantiles era ahora su marido, con todo el poder que la ley le otorgaba para tomarla o encerrarla en un convento. Diego era ahora dueño de su casa en Toledo, de su hacienda y hasta de su vida. A un espíritu tan ferozmente libre como el suyo, la palabra «dominio» le punzaba y avivaba la llama de la rebelión en ella.

Un súbito golpe a sus espaldas la hizo brincar y volverse.

Doña Camelia, tan sorprendida como ella, se desperezó, se atusó el cabello y echó mano de sus anteojos, que colgaban sobre su pecho, para fijar la mirada en la expresión ceñuda del hombre que parecía aguardar alguna explicación de su nieta. Supo que el tifón acababa de estallar.

Elena no abrió la boca. Solo miró la daga que corcoveaba clavada en la madera de la costosa mesa. Las joyas de la empuñadura destellaron en un arco iris que el sol desplegó al caer sobre ellas. Sus ojos claros se enfrentaron a otros ambarinos.

—¿Es esta la daga que querías adquirir?

¿Cómo lo había sabido él? Le dio la espalda y volvió a interesarse en el paisaje.

—Es posible —le dijo.

Doña Camelia acomodó sus lentes sobre el puente de la nariz, recogió su costura y se escabulló en silencio con el chucho tras sus pasos. Si iban a discutir, a ella no la encontrarían por medio. Les conocía demasiado bien a los dos para saber cómo se las gastaba Diego cuando se enfadaba, pero Elena le iba a la zaga y no iba a morderse la lengua si empezaban a discutir. Al pasar junto a él, no obstante, oprimió ligeramente su brazo, como si quisiera demandar su paciencia.

Diego esperó a que doña Camelia saliera de la estancia y luego preguntó a su esposa:

—¿Por qué no la compraste?

—No llevaba dinero.

—Podrían haber venido a cobrar a la hacienda. Mi apellido es suficiente carta de pago, señora mía.

Al volverse para enfrentarlo, el cabello suelto de Elena aleteó sobre el ventanal. El sol rojizo del atardecer coloreó de fuego sus hebras, una aureola cárdena que le cortó el resuello.

—Creo que no has entendido bien, Diego. Dije que no llevaba dinero. ¡Mi dinero!

Él parpadeó, algo confundido. Hasta que captó el significado del desafío. Sus puños se cerraban y abrían en busca de la contestación adecuada sin encontrarla. Cuando lo hizo, su voz retumbó hasta en las vigas.

—Vos no tenéis dinero propio ya, señora. Sois mi mujer. Como tal, vuestra herencia me pertenece. Hasta la última moneda. Y como esposo vuestro, yo os procuraré alojamiento, vestidos, comida. Y caprichos, si es menester.

—Nada puedo hacer en cuanto a casa, alimentos o trajes —le replicó como una cobra a punto de atacar—. Pero en cuanto a los caprichos, Diego, puedes irlo olvidando. No aceptaré nada de ti.

Regresó a su anterior posición, ardiendo de indignación. ¿Por qué demonios el destino de una mujer debía estar supeditado siempre al del varón? Era una humillación. ¡Por Dios, ya no estaban en la época de las cavernas! La mujer era válida para ser esposa, pero no podía decidir su futuro; imprescindible para traer hijos al mundo, pero no contaba para elegir su enseñanza; dispuesta para la cama, pero sin capacidad para escoger al hombre al que pertenecer y entregarse.

—Elena... —quiso él poner un punto de sosiego.

—¿Qué diferencia hay entre tus reses y yo, Diego? —le interrumpió ella, que no cedía en su disgusto—. Soy poco más que una de tus yeguas, sometida al amo que la monta. Ellas, al menos, pueden relinchar su disgusto. A mí, ni siquiera me queda ese consuelo.

Aunque le había enojado el arrebato de rebeldía de Elena, su actitud al enfrentarlo diciéndole eso lo conmovió. Acortó el espacio que les separaba y acopló sus manos al talle de su mujer, tan próxima y distante a un tiempo. Lenguas de deseo le abrasaron en un contacto que le incitaba a aprisionarla entre sus brazos, calmar su irritación, saborear el lóbulo de su pequeña oreja que asomaba entre las hebras de cabello casi platino, libar el perfume de su cuello. ¡Dios!

¡Cuánto la deseaba! Tenerla así, tan cerca y tan lejos a la vez, iba a volverle loco. Pero se había propuesto darle tiempo, conquistarla poco a poco, seducirla hasta que se rindiera y deseara sus caricias. Si ella supiera... Si imaginara tan solo sus noches en vela desde aquel lejano día en que Enrique Zúñiga le escribiera poniéndole al corriente de lo que él y su propio padre acordaron a propósito de unir ambas casas. Hubo de contenerse para no saltar de alegría. Pero eso no podía confesárselo. Equivaldría a postrarse ante aquella diosa de indiferencia y abdicar de su entereza varonil.

Elena, turbada y sensible, se envaró al contacto de sus manos, aunque lo disimuló. Hubiera deseado que su cabeza cayera y reposara sobre el duro pecho masculino. Tenerle así, pegado a ella, era un suplicio, porque por más que intentase hacerle ver que deseaba mantenerlo lejos, se le disparaba el pulso. Pudo más su orgullo de fémina avasallada, aunque no dominada. Aquel maldito orgullo heredado de su abuela que portaba siempre como estandarte y que ahora se le antojaba muy pesado.

—Nita. —El cariñoso diminutivo que Diego usara en tiempos pasados, cuando quería engatusarla, y al que siempre vinculó con un deje de cercanía, ahora mortificaba como un hierro al rojo—. No eres una yegua —se mordió el carrillo para reprimir una carcajada—, aunque no voy a negar que sí una buena potranca. —Sus manos ascendieron por la fina cintura hasta situarse a los lados de los pechos que casi escapaban del corpiño, fascinándolo y haciendo que soñara con acariciarlos.

—Muy gracioso.

—En cuanto a relinchar... Es lo que has estado haciendo desde que el sacerdote nos unió.

Elena se revolvió entre sus brazos, chispeando la ira en sus pupilas. Abrió la boca para decirle algo, lo que fuera con tal de no mostrar la emoción que la embargaba estando tan cerca de él. Pero se quedó muda. Apenas le había observado cuando entró en el cuarto, pero ahora... Diego exudaba virilidad. Insolencia. Porte. ¿No era así como le recordaba desde siempre? ¿No era aquel aire disoluto, pícaro y ligeramente inmoral lo que la atrajo de él cuando empezó a verle como un hombre y no como al compañero de juegos veraniegos? ¿Por qué estúpido motivo las mujeres siempre se sentían atraídas por los tipos altaneros? Y si había alguien arrogante, ese era Diego Martín y Peñafiel, ahora encumbrado conde de Bellaste. Su marido.

—Eres... Eres... —No pudo decir más al fijarse en que el gesto de él se tornaba serio, duro, casi despiadado.

Diego aprovechó el momento de confusión. Una mano abierta la sujetó del talle y la otra presionó en su espalda, atrayéndola hacia él. Elena abrió las piernas al notar que perdía la estabilidad y él se posicionó entre ellas mientras su boca descendía con rapidez para atrapar la boca femenina, aquella fruta jugosa que se moría por paladear.

Un latigazo de deseo les envolvió.

Los engulló la apetencia del instinto que clamaba por saciarse del otro. Lo que Elena siempre soñó, pero no se atrevió a confesar. Lo que Diego juró que haría desde aquella vez en que ella le descubrió con su desaliñada conquista y le prometió odio eterno.

El cuerpo de ella se sacudió al contacto de sus labios calientes y por un momento le permitió juguetear con su boca, ávida por ensayar su primer beso de verdad. Porque aquel otro lejano que se dieran el verano anterior a su tonta ruptura de adolescentes no fue más que una ligera caricia inexperta.

Elena rehusaba con frecuencia las intentonas de algunos jóvenes que pretendían su cortejo, aunque tampoco era inmune al arrumaco y, su atracción por lo desconocido —y muchas veces por lo prohibido— la llevaron a dejarse besar fugazmente por alguno de ellos. Nunca entendió qué era lo que las demás muchachas encontraban en permitir que un hombre les manoseara. Nunca.

Hasta ese momento.

Diego olía a jabón y a cuero. Sobre todo, olía a hombre. Y su lengua, rozando apenas sus labios, las comisuras, lanzaba punzadas de placer que aguijoneaban su cerebro, turbándola como si fuera niña, atropellando su falsa valoración sobre el contacto entre hombre y mujer.

Se pegó a él. ¿Se pegó? Sintió los pechos comprimidos contra aquel torso duro, ciñéndola los brazos masculinos, las manos de Diego en su nuca, en su espalda... Bajando. Bajando... Franqueó el paso a su boca, a su lengua, que acarició la suya. Sus manos se movieron con vida propia ascendiendo hacia la cabeza de él, que presionó para acercarlo más.

Se dejó llevar cuando Diego la guio hacia la pared, aprisionándola allí, sin escapatoria posible, y amoldó su largo cuerpo al suyo. La tempestad de su deseo se exteriorizó tan contundente entre sus muslos que la paralizó. Con un esfuerzo heroico, metió los codos entre ambos y lo empujó.

Diego dejó escapar un lamento que a ella le pareció un gruñido. Sin soltarla, jadeando, apoyó la barbilla en su cabeza, rezando para recuperar la cordura, para no dejarse ir y tomarla allí mismo, en medio de la habitación, a la vista de cualquiera que pudiera entrar.

—Elena...

—Por favor...

—Vámonos arriba —dijo, tomándola de la muñeca.

—¿Arriba? —preguntó ella, aún aturdida, flaqueando sus piernas, que parecían de jalea.

Diego le acarició el rostro esbozando una sonrisa maliciosa que realzaba su atractivo y el brillo de sus ojos.

—Aquí no podemos quedarnos, cariño. Los criados...

Súbitamente, Elena se hizo cargo de la realidad.

—Quieres decir que vayamos a consumar nuestro matrimonio.

—Por supuesto.

Sus defensas gritaban rendición, sus pechos henchidos sollozaban por la caricia de las manos masculinas, el fuego que él había avivado entre sus muslos la abrasaba pidiendo ser consumido.

Pero había cuentas pendientes.

—Con una condición, Diego —le dijo.

Un músculo se tensó en el rostro de él. Achicando la mirada, esperó. ¿Condición? ¿Qué maldito requisito hacía falta cumplir ahora para poder acostarse con la mujer que la Iglesia le había entregado? Pero asintió.

—No quiero ser una mantenida —siguió entonces Elena—. Se han firmado documentos por los que mis bienes te pertenecen, salvo una ínfima cantidad y un par de casas que me legó mi abuelo. No voy a reclamar nada de lo que me usurpa una ley hecha por varones. Me conformo con lo que me queda —a medida que iba hablando, a Diego se le iba subiendo la bilis—, es suficiente. Pero quiero tener independencia sobre mi dinero y no verme obligada a tener que pedirte permiso para gastarlo como mejor me plazca.

—Por ejemplo, ¡para comprar esa puñetera daga!

Los lagos azules que eran los ojos de Elena se quedaron clavados en él.

—Sí. Por ejemplo, para comprar una puñetera daga.

Diego retrocedió un paso. La soez expresión en labios de Elena restalló como si le hubiese abofeteado. Él se había extralimitado, había elevado la voz, lo asumía. Y aquella mujer no se amilanaba. Al contrario, le respondía en su propio idioma grosero sin acalorarse. Bravía como ninguna otra. Sin pelos en la lengua. Al pan, pan. Su fogosidad se difuminó como por ensalmo. Ella no pedía, no intentaba negociar. No. ¡Exigía! ¿Y dónde quedaba él si cedía a sus imperativos? ¡Creería que era un pelele! ¿De modo que estaba dispuesta a irse con él a la cama a cambio de su independencia financiera? Un súbito acceso de ira lo cegó, porque la recordaba atrevida e intrépida, pero no mezquina.

—Soy tu esposo, Elena —dijo, arrastrando las palabras y caminando hacia la salida—. ¡Tu esposo! Lo quieras o no, ahora soy dueño de tu herencia, sí, y también de tu persona. Podrás gastar tu maldito dinero como te plaza, pero... —la miró por encima del hombro, aferrado al picaporte con tanta fuerza que los nudillos le blanquearon—, me pedirás permiso por cada moneda. ¡Vaya que sí! Y yo te lo daré, siempre que me parezca adecuado.

—¡Eres un...!

—No lo digas —la cortó, lanzando llamaradas por los ojos—. Te he permitido un exabrupto, señora mía, pero no haré más concesiones. Recuerda que prometiste comportarte de acuerdo a tu posición.

—Y seguir representando una farsa. La bufonada de un matrimonio bien avenido, ¿verdad?

—Exactamente. —Abrió la puerta.

—Si no llegamos a un acuerdo, Diego, nunca me encontrarás en tu cama —amenazó ella—. ¡Nunca!

Él no se volvió. Por un instante, permaneció quieto, recuperando la serenidad. Luego dijo:

—Goza ahora de tu libertad, esposa. Porque cuando yo lo decida, acabarás en mi cama te guste o no. Y esto sí que es una promesa en firme.

El portazo sacudió la pared haciendo vibrar levemente la araña del techo.

9

Francisco Jiménez de Cisneros no esperaba una recepción en toda regla, pero había supuesto que, al menos, habría alguien esperándole a su llegada a Los Arrayanes. La decepción pronunció sus ojeras.

Las jornadas habían sido agotadoras después de salir de Tordesillas, con la súplica de la reina Juana de Castilla latiendo incansablemente en sus oídos. El tiempo apremiaba y él lo sabía, pero le resultó imposible abandonar sin más todas y cada una de sus obligaciones para embarcarse en aquella aventura de locos, aun sabiendo que de no intervenir podía llevar a España a una guerra que nadie quería. Así que aceleró sus asuntos en la corte, dejando todo en manos de un hombre de su total confianza hasta su regreso.

Podría haber enviado aviso a Diego Martín para que acudiera a su lado. Ciertamente. Pero le pareció más velado decir que necesitaba un descanso y que pasaría unas semanas en Trujillo, en casa del conde de Bellaste. Todos conocían la lejana amistad que le unía a la familia y era una excusa excelente para dar los pasos necesarios a las pesquisas que Diego iniciaría, sin lugar a dudas, en cuanto él le pusiera al tanto del problema.

Sus cansados huesos clamaban por una merecida tregua después de infernales posadas en las que pernoctaron y fantaseaba con un baño relajante y una buena comida, aunque en los últimos tiempos apenas probaba bocado. Cuando fue recibido solamente por Guillermo Savatier, el mayordomo de Los Arrayanes, y Gloria Machado, el ama de llaves, agrió ligeramente el gesto. Duró poco, sin embargo, su disgusto. Los dos sirvientes llevaban en la hacienda muchos años, eran leales y nunca tuvo queja de ellos. Se tenía por hombre justo y no lo sería si pagaba su irritación con ellos. Agradeció por tanto su bienvenida y disculpó incluso la ausencia de los señores con un movimiento nervioso de mano cuando Savatier comenzó a justificarles.

—Si tiene la bondad de seguirme, Eminencia —instó el mayordomo—, le mostraré su habitación.

—¿La malva?

—Eso es, Eminencia.

—No hace falta, entonces, conozco el camino. Que me suban agua para un baño y un poco de vino, es todo cuanto necesito por ahora. Y un buen descanso.

Guillermo hizo una reverencia y se marchó para dar las órdenes precisas y acomodar al grupo de escolta del cardenal.

Cisneros le siguió con la mirada y un deje de nostalgia le fustigó. Savatier era ya un anciano. Su cabello, escaso ahora, mostraba la blancura de la nieve; sus ojos se habían apagado con el paso del tiempo y su espalda parecía más encorvada aún que la última vez que le vio. Eso sí, a pesar de todo, no le abandonaba aquella dignidad que siempre le caracterizó. Sabía, por Diego, que se negó a jubilarse tres años antes, aun cuando el joven conde le propuso dotarle de una casa y una subvención de por vida para agradecer los servicios prestados. No, Guillermo no era de los que abandonan el barco, era un capitán en toda regla y moriría al timón de Los Arrayanes cualquier día. Pero al timón. Como él mismo. Tenían mucho en común aquel mayordomo y él: fe, tenacidad y la satisfacción de hacer las cosas bien. Y la edad, claro. Eso también.

Se vio repentinamente viejo, casi prehistórico. Suspiró y se encaminó escaleras arriba a la habitación que siempre le asignaron cuando visitó la hacienda. La habitación malva. ¡Cuántas confidencias y secretos habían escuchado sus paredes desde los tiempos de los viejos condes!

Camelia Lawler aceptó la mano del lacayo y descendió del carruaje con premura. Sabía que llegaba tarde, pero su visita a los barrios pobres se había dilatado más de la cuenta por causas imprevisibles. Además, llegaba de un humor de perros, algo habitual cuando las cosas no salían a su gusto. ¡Aquel maldito médico...! Aquel rastrero, despreciable y corrompido matasanos —al que ella se encargaría de hundir en cuanto le fuera posible—, se había negado a atender a un pequeño moribundo cuando mandaron a buscarle, aduciendo que la familia del crío no tenía dinero con el que pagar sus servicios. Ella misma se había arrancado una de sus sortijas para lanzársela a la cara después de decirle lo que pensaba de él. Por fortuna, el niño comenzó a recuperarse y pudo marcharse más tranquila. Pero bullía en ella una rabia sorda que le dañaba. En otros tiempos, la furia hubiera supuesto un acicate para ella, pero ahora no era ya más que una anciana a la que los disgustos pasaban factura en su salud.

Atravesó el vestíbulo como un vendaval, desmintiendo su edad.

—Siempre el dinero —iba murmurando en voz alta sin darse cuenta—. Siempre el jodido dinero.

Un carraspeo a su espalda hizo que se llevase una mano a la boca, captando su desliz, y se volviera. Sus ojos claros, aún chispeantes de vitalidad, se dilataron, entibiándose de alegría.

—Tan malhablada como siempre. —Cisneros sonreía, divertido en lugar de asombrado, aferrándose al pasamanos y descendiendo las escaleras con cuidado.

—Gonzalo...

—Y terca como una acémila —afirmó el cardenal—. En tu esquela debería leerse: AQUÍ YACE CAMELIA. ESPOSA, MADRE Y PORFIADA.

Ella acortó distancias con una mueca traviesa en los labios y posó estos con reconocimiento en el anillo cardenalicio que exhibía la mano tendida. Por un momento, ambos se quedaron mirándose a los ojos. Después, doña Camelia lo abrazó, besándole en la mejilla.

—Sigues oliendo como lo hacía el mozo holgazán que solo pensaba en bañarse en el Tajo: a sol y trigo.

Por la mente de él pasó, vertiginoso, el recuerdo de aquellos días en que no era más que eso, un joven algo alocado con ganas de vivir. Se le escapó un suspiro y se apoyó en el brazo tendido de doña Camelia para llegar hasta el saloncito que daba al oeste, revitalizado por la fortaleza que emanaba de la mujer. Pero se le encogió el corazón al entrar. El sol, una línea rojiza en el horizonte, bañaba los campos de un tono bermellón e inundaba el espacio con aquel resplandor. El espectro de aquel color parecía rodearle, perseguirle, recordándole su destino eclesial, tan ingrato a veces.

Se acomodó en una butaca y doña Camelia acercó otra para situarse a su lado. Cisneros le apretó la mano con cariño, acomodando la suya a la rugosidad de las venas y a sus largos y elegantes dedos.

—¿Qué haces aquí, Gonzalo? ¿Por qué no supimos de tu llegada?

—¿Cuántas veces debo recordarte que ahora mi nombre es Francisco?

—¡Bah! Te bautizaron Gonzalo. Nunca entendí esa memez de cambiarte el nombre cuando te hiciste franciscano. Como tampoco entiendo que deba cambiárselo una mujer cuando toma los hábitos. Sor María de las Angustias de Nuestro Señor... —enunció con sarcasmo.

Cisneros sonrió y aceptó la derrota en silencio. Bregar con aquella mujer era como intentar escalar muros sin cuerda. No le quedaban bríos para discutir con ella. En otro tiempo sí que los tuvo, pero ya no.

—Necesitaba un descanso —dijo contestando a su pregunta—. Y mandé aviso de mi llegada, aunque, por lo que veo, no se ha recibido.

—Nada sabíamos. De otro modo te hubiéramos preparado una recepción adecuada. —Lo miró con interés, fijándose en el brillo apagado de sus ojos, en las manchas oscuras que rodeaban sus párpados, en la flaqueza extrema de sus mejillas. Era un hombre que se marchitaba y sintió una punzada de dolor en el corazón—. La corte acabará contigo, Gonzalo. No deberías haber aceptado esta segunda regencia. ¿Por qué lo hiciste?

Iba a contestar él cuando la puerta se abrió y entró en el cuarto una muchacha alta, rubia... y extrañamente vestida.

La sorpresa de Cisneros no fue sin embargo tanta como la de la intrusa, Elena, que no esperaba encontrar a su abuela acompañada por un clérigo. El color del fajín le indicó que aquel anciano era un Príncipe de la Iglesia. Y le reconoció, aunque había envejecido mucho desde la última vez que se habían visto. Se quedó allí, clavada ante él, sin saber qué hacer o decir. Se llevó la fusta a la espalda y trató de sonreír, pero solo le salió un guiño nervioso.

—Lamento mi intromisión, Eminencia —carraspeó, echando una mirada de reojo a su abuela—. Salí a cabalgar y...

—Saluda al Regente de España como corresponde —le reprendió la anciana.

Elena reaccionó de inmediato, inclinándose ante él y besándole el anillo.

Cisneros se tomó su tiempo en observarla: la falda de su vestido estaba cosida al medio, a modo de bombacho turco; el largo cabello, suelto, le caía revuelto sobre la cara, donde una pequeña mancha de tierra moteaba su mejilla; sus grandes y diáfanos ojos claros brillaban, su nariz seguía siendo patricia, sus pómulos altos, su boca exquisita. Había cambiado, convirtiéndose en una mujer preciosa. Y extravagante, volvió a pensar viendo su atuendo.

—De no estar aquí, con tu abuela, no te hubiera reconocido, Elena.

El tono de voz del cardenal, pausado y profundo, carente de reproche a pesar de su vestimenta y su entrada poco formal, recondujo la situación calmando a la muchacha.

—He crecido, Eminencia.

—Te has convertido en una dama encantadora.

—Gracias, Eminencia. —Bajó ella la mirada.

—¿Son cómodas esas... faldas?

A ella se le cayó el mundo encima. ¿Qué debía responder a tal autoridad eclesiástica? Como si la hubieran cogido en un renuncio, las manos empezaron a sudarle y las entretuvo en la fusta, que iba pasando de una a otra.

—Lo son, Eminencia —acertó a decir.

—Me recuerdan otro lugar, otro tiempo... —Desvió sus ojos hacia doña Camelia y los labios de la anciana iniciaron una sonrisa de complicidad que la joven no supo interpretar—. Las modas se adaptan, ¿verdad?

—Ve a cambiarte, Elena —oyó que decía su abuela—. Tal parece que te hubieras peleado con el caballo.

A Elena le faltó tiempo para hacer una reverencia al cardenal y volverse, dispuesta a escaparse de allí. Ya junto a la puerta, esta se abrió de golpe y ella se hizo atrás para evitar que la golpeara en la cara.

Diego había dejado la hacienda al amanecer para cerrar la venta de la cosecha de aceitunas y la compra de ganado. La transacción primera no resultó tal y como la había previsto, debiendo ceder buena parte de las ganancias a aquel usurero, que se quedaría con la mayoría de la producción, porque faltaban jornaleros que quisieran trabajar directamente para los hacendados. Los tiempos estaban revueltos. Partidas importantes del dinero español iban a parar a las arcas de Flandes y los campesinos culpaban de ello a la nobleza, a la que acusaban de no hacer nada por remediarlo. No estaban faltos de razón.

Llegaba por tanto a la casa con su indignación a cuestas, maldiciendo y despotricando, incluyendo en su letanía a la jerarquía eclesiástica que no exhortaba al trabajo desde el púlpito.

Lo que rebosó el vaso de su paciencia fue ver a Elena a caballo, saltando una valla de piedra demasiado alta. El corazón se le había encogido y había contenido la respiración hasta que las patas del equino se posaron con suavidad al otro lado. Ella había cabalgado siempre como un centauro, sin miedo a nada, sorteando el peligro. Pero se había vuelto más intrépida y a él aquel alarde le chirriaba. Porque en su fuero interno se ponía enfermo de pensar que a ella pudiera ocurrirle una desgracia, algo muy posible si seguía actuando como una inconsciente. Le había costado controlar los erráticos latidos de su corazón hasta recuperarse del susto, y había salido tras ella. No pudo alcanzarla antes de que Elena llegara a las caballerizas, dejara el animal al cuidado de un criado y se escabullera dentro de la casa.

Diego no vio a nadie más cuando entró en el cuarto, ciego como iba. Solo a ella. Parada a un metro escaso de él, mirándole con los ojos muy abiertos, como si fuera una aparición.

—¡¿Puede saberse qué demonios pretendes montando de ese modo?! —le gritó al tiempo que se golpeaba la bota con la fusta.

A ella le desapareció cualquier actitud de sorpresa. Elevó su mentón retador y tomó aires de reina ultrajada. Le desafió con la mirada, como se hace con un enemigo. ¿Cómo se atrevía a hablarle de aquel modo habiendo otros presentes? Pero no pudo evitar que su cuerpo se sacudiera de placer al fijarse en su esposo: resultaba espléndido. En Elena se abrió paso un inesperado y avasallador deseo de saborear su piel cetrina.

Respiró hondo y regresó al presente.

—¿Qué te molesta tanto? Siempre he cabalgado igual.

—Pues eso se acabó. Te lo prohíbo.

—¿Me prohíbes que monte a *Hades*? ¡Es mío!

—El caballo sí, señora, y maldita mi flaqueza por hacértelo llegar desde Toledo, pero tú eres de mi propiedad. Hasta que la muerte nos separe.

Diego desvió su atención a la mano de ella que empuñaba la fusta como si estuviera dispuesta a descargarla sobre él. Realmente debía de estar pensando justamente eso. Sin embargo, hacía solo un instante, hubiera jurado que su expresión se había suavizado notablemente.

Una tos forzada les volvió a la realidad, arrancándolos del encono de una rivalidad mal entendida.

Diego palideció al ver al cardenal y a doña Camelia. Elena aprovechó para escabullirse y él siguió el contoneo de sus caderas, sin poner freno a su imaginación, hasta escuchar decir a Cisneros:

—Mi estadía en Los Arrayanes promete ser entretenida, amiga mía. ¿No huele a humo?

—No, Gonzalo, no —repuso la dama—. A azufre, más bien.

10

Diego y Elena procuraron no cruzar la mirada durante la tardía cena, simulando cada uno de ellos estar absorto en su propio interlocutor.

Elena, azorada aún por su imprevista aparición ante el cardenal con tan poco ortodoxo atavío, hablaba con doña Camelia, interesándose por su visita a los más desfavorecidos e indignándose cuando estuvo al corriente del episodio del galeno.

Escuchaba a su abuela que, muy enfadada, continuaba hablando pestes del médico, pero dándole vueltas con preocupación a la noticia con la que se había topado durante su paseo: Balbina Cobos, viuda del difunto consejero del rey Fernando el Católico, Patricio Antúnez, acababa de ser arrestada, acusada de escritos sacrílegos contra la Iglesia. Ella dudaba de la veracidad de una acusación así porque conocía a la dama desde que era niña. Balbina Cobos podía ser una mujer ligera de moral —incluso había flirteado o quizás algo más con el padre de Diego—, pero creyente y devota era como la que más. Había regresado a Los Arrayanes deseando contar lo sucedido, pero decidió guardar silencio ante la presencia del cardenal, que, de un modo u otro, tenía que ver en el asunto: habían sido agentes de la Inquisición quienes se habían llevado a doña Balbina. Ya habría tiempo de poner sobre el tapete el caso de aquella mujer. Porque no pensaba dejarlo pasar. Hablaría de ello con Diego y, si fuese necesario, pediría a su abuela la intervención del propio cardenal. Retomó por tanto la conversación con su abuela y le dijo:

—Me gustaría acompañarte en tu próxima visita.

—Toda ayuda es bienvenida, cariño —contestó la dama, que, una vez descargada su frustración, jugueteaba con su tenedor con un trozo de patata a la que daba vueltas en el plato sin intención alguna de comérsela—. Mandaré cargar un carro de provisiones. Hay demasiados necesitados, siempre he procurado ayudarlos cuando he estado aquí y falto de Trujillo desde hace mucho tiempo.

Su comentario llegó hasta Diego, que desvió su atención de Cisneros para dirigirse a ella en el acto.

—Doña Camelia, disponga de los graneros de Los Arrayanes como mejor le plazca. Debe saber, sin embargo, que sus protegidos no han estado desamparados en ningún momento. Les he procurado suministros asiduamente. Y el padre Agustín se encarga de que no se me olvide —apuntilló con cierta sorna.

—Te lo agradezco, hijo, pero quiero hacer esto por mí misma. ¿Para qué necesito ya el dinero? Nuestro Señor me llamará pronto a su lado y esos pobres infelices carecen de muchas cosas.

—¡Abuela, no digas eso! —protestó Elena.

—El Cielo se complace en la bondad de los pudientes y les abre sus puertas —sentenció Cisneros.

—No es exactamente así como lo expresan los Evangelios, Gonzalo —objetó ella, puntillosa.

—Camelia, Camelia..., no ironices. ¿Has oído hablar de algún potentado que haya donado toda su fortuna a los pobres? Ni lo ha habido ni lo habrá, a qué engañarnos. Tenemos que predicar la caridad, pero no somos ajenos a la realidad. Ahora bien, lo digamos como lo digamos: quien ayuda a los necesitados siempre estará más próximo a ser bien recibido allá arriba.

—Eso espero... —siguió ella con su humor fino—, porque si me tengo que enfrentar a Satanás, el infierno va a ser un lugar todavía más caliente. Ese no me conoce bien.

Hubo regocijo general al comentario, aunque fue Diego quien más lo significó. Alargó el brazo por encima de la mesa y apretó la mano de la inglesa con verdadero cariño. La conocía desde niño, desde que acompañaba a los Zúñiga en sus visitas anuales, y la consideraba casi su propia abuela, a quien no llegó a conocer. Que hubiera decidido escoltar a Elena para su boda, quedándose allí después, era algo que le agradecía infinitamente.

—Me parece que la echaré de menos cuando se marche —bromeó.

—¿Me estás echando? ¿O acaso ya me das por muerta, muchacho? —Hizo como que se incomodaba.

—¡No, por Dios! No quería decir que... —Los dos ancianos disfrutaban del apuro en que se había metido y él se dio cuenta de su burla—. Desde luego, Satán se iba a entretener con vos, señora.

Haciendo acopio de buen humor llegaron a los postres

y, ya en serio, Elena retomó el tema de los suministros a los pobres.

—¿Cómo vamos a afrontar el asunto del médico, abuela?

—Desde luego no contaremos para nada con ese miserable de Pedro Carranza. ¡Pienso ocuparme personalmente de que le destinen al otro lado del mundo!

—Gloria, el ama de llaves, me comentó días atrás que había llegado hacía poco un joven a Trujillo pugnando por abrirse camino en la medicina. ¿Qué te parece si le hacemos una visita y le proponemos que se haga cargo de las rondas? Por supuesto, a mi cargo, y pagando los medicamentos.

Apenas decir eso, clavó su mirada desafiante en Diego. Él, sin embargo, con mucha calma, respondió:

—Me gusta la apuesta por el joven médico. Pero a este, como antes a Carranza, seré yo quien le pague sus honorarios puesto que deberá atender también a nuestros aparceros.

—Esto ha sido idea mía, Diego. El dinero saldrá de mi herencia.

A él le sacudió un torbellino de placer escuchando su nombre de sus labios. Por un momento se embriagó contemplándola. Elena estaba preciosa aquella noche. En realidad, lo estaba siempre, incluso empeñada en vestir tan singular y escandalosa falda de montar y los jubones de cuero de corte masculino. Ciertamente él había hecho la vista gorda, mucho más cuando su jefe de cuadras le hizo ver que, aunque la prenda pudiera resultar algo indecorosa, era lo más seguro para una señora que montaba a horcajadas, como un muchacho.

Para la cena, sin embargo, Elena había elegido un vestido azul oscuro de mangas acuchilladas y escote cuadrado y recatado. La camisa, que sobresalía bajo el raso, conseguía un curioso efecto de luz escapando del confinamiento de las mangas. El cabello, encerrado en un pudoroso recogido en la nuca, cubierto con una redecilla del mismo color que el vestido. El trenzado de unas guedejas casi platino bajo la crespina le obligó a cerrar el puño para no estirar la mano y acariciarlas... o para llevar la mano al relicario que, desde hacía años, colgaba de su cuello custodiando uno de sus mechones. La delicada gargantilla que rodeaba el esbelto cuello de Elena, reposando en el hueco de la tráquea femenina, conjuró en su pecho una comezón incipiente. Cómo le hubiera gustado besar la piel en la que descansaba la joya... Se rehízo con esfuerzo, dándose cuenta de que sus pensamientos emprendían un sendero peligroso.

—Hablaremos de ello más tarde, mi amor.

Ella fue a replicar, pero se lo pensó mejor. Enzarzarse allí en una discusión no haría sino que perdiera los papeles agudizando la mala impresión que de ella debió de llevarse el cardenal. Particularmente, no comulgaba demasiado con los llamados Príncipes de la Iglesia, la mayoría de ellos pagados de vanidad, dispuestos siempre a pedir pero nunca dados a entregar, a no ser palabras huecas que camuflaban en la voluntad de Dios y sus decisiones inescrutables, como solían decir. Sin embargo, su abuela era amiga de Cisneros desde que él era un muchacho. Calló, pues, por deferencia a ambos. Ya vería el modo de convencer a Diego sobre el asunto del médico.

El cardenal elogió la *técula mécula*, riquísima, uno de los pocos caprichos a los que no se resignaba a renunciar. Ese postre era una verdadera tentación para él.

La muchacha agradeció sus cumplidos. Había ayudado

a la propia Gloria a cocinarla a mediodía, antes de salir a cabalgar, machacando las almendras y mezclándolas con manteca. Del resto se había encargado el ama de llaves, que añadió a la masa claras y yemas de huevo y después almíbar. Hasta entonces Elena no había mostrado interés por la cocina, pero junto a Gloria aprendía deprisa y le gustaba. Por otro lado, todo el tiempo que pasaba en las cocinas eran minutos que restaba al riesgo de encontrarse con Diego. Él no pisaba esas dependencias nunca. Salvo aquella ocasión, tan lejana ya, en que se sirvió de un saco de harina para embadurnarla mientras ella dormía la siesta. Se le dulcificó el semblante al recordarlo, así como al rememorar la persecución a que ella le sometió con un rastrillo, con la insana intención de ensartarlo en él. ¿Cuántos años tenía ella entonces? ¿Nueve? ¿Diez?

Y así, aceptando los parabienes del Regente por el dulce, se dio cuenta de que su abuela aprovechaba la ocasión para unirse a él en las alabanzas, como si con ello quisiera poner de manifiesto sus habilidades frente a Diego. Se removió en su asiento, un poco turbada, porque podía percibir que en los ojos de su marido flotaba la duda sobre su capacidad en los quehaceres domésticos. Ahogó el impulso de restregarle en la cara que allá, en Toledo, no solo ayudaba en algunas tareas de la casa, sino que se implicaba en las faenas de las tierras. ¿Qué pensaba él, que era una inútil? Pues no lo era.

La conversación fue languideciendo hasta que se internaron en el tema más candente y espinoso del momento: Flandes.

A Cisneros se le trocó el gesto afable por otro más huraño, pero lo disimuló con rapidez. Político como era, se excusó por retirarse a su cuarto, rogándoles que se hicieran cargo de lo fatigoso del viaje.

Doña Camelia le deseó un buen descanso con un beso en la mejilla y Elena volvió a inclinarse ante el anillo del Regente. Su intención era acompañar a su abuela y charlar un poco más con ella antes de acostarse —dando tiempo, por supuesto, a que Diego se encerrara en su propio cuarto—. Pero lo que oyó de Cisneros en tono confidencial cuando ya se alejaban le hizo ponerse en guardia.

—Diego, tenemos que hablar. Ahora.

11

El conde de Bellaste sirvió dos copas de vino y puso al alcance del cardenal una de ellas. Cuando Cisneros le hubo retenido en lugar de irse a descansar, como había dicho, supo que se traía algo entre manos y presintió algún tipo de dificultad para el hombre que ahora gobernaba España con mano férrea, a la espera de que el heredero de la Corona llegara a la Península.

Se acomodó en un sillón, cruzó una pierna sobre la otra y dijo:

—Os escucho, Eminencia.

Cisneros probó la bebida, asintió y se tomó su tiempo antes de hablar.

—La reina, doña Juana, me hizo llamar a Tordesillas. —Diego se limitó a elevar una ceja. Sabedor Cisneros de que tenía toda la atención del joven, prosiguió—: Cree que se está fraguando un complot para asesinar a su alteza Fernando.

—¿En qué se basa?

—Ha sido puesta en alerta, yo mismo he podido leer la misiva que le han entregado aunque no reconocí la firma. Doña Juana pone toda su confianza en la persona que se la hizo llegar. Su Majestad me ha pedido tomar cartas en el asunto, y yo he dejado mi palabra en prenda de que abortaré esa conspiración, si realmente existe, y enviaré a Fernando junto a su abuelo Maximiliano.

Diego hacía años que trabajaba secretamente para Cisneros. ¡Cuántos trapos sucios de la corte habían lavado las viejas manos de aquel hombre, admirado y odiado a partes iguales! Él sabía que el Regente nunca emprendía una empresa si dudaba en acabarla.

—¿Dónde está ahora el Infante?

—En el norte, descansando de sus estudios y a la espera de la llegada de su hermano Carlos, aunque desconozco el lugar exacto porque ha querido mantenerlo en secreto.

El conde cambió de postura. Descruzó las piernas, las abrió y apoyó los codos en las rodillas, la cabeza gacha, dando vueltas a la copa entre sus largos dedos. Durante un breve lapso de tiempo ninguno de los dos dijo nada, cavilando en la tregua de un silencio que rompió Diego con un resumen que no admitía objeciones.

—Así que de lo que se trata es de cortar de raíz cualquier posibilidad de que llegue a ser el soberano de España.

La premura del cardenal instando a Diego a una conversación privada no le había dado a Elena buena espina. Pretextando el olvido de su pañuelo en el comedor, se disculpó con su abuela a media escalera. Volaron sus pies sobre los peldaños, y después, sigilosamente, se acercó hasta el estudio de Diego, donde él y Cisneros se habían encerrado. Se criticó a sí misma por la deslealtad de este acto, pero no por ello desistió en su empeño de saber de qué hablaban. La curiosidad en ella era innata hasta el punto de convertirse en un feo defecto. Pero es que se atrevería a jurar que entre Cisneros y Diego existía un vínculo que iba más allá de una simple y vieja amistad.

La solicitud del cardenal tras la cena no dejaba lugar a la demora, así que allí había cierta connotación de clandestinidad o secretismo. Nunca le fallaba el olfato para esas cosas y en su casa se estaba forjando una intriga, estaba segura. Por otra parte, una información delicada en su poder, por pequeña que fuera, podía favorecerle en su porfía con Diego, si ello implicaba más autonomía personal a cambio de su silencio.

Era un modo de actuar burdo y deshonesto, lo sabía, pero no iba a renunciar a utilizar la coacción si Diego seguía anulándola, sabiéndose a su merced y sintiéndose subordinada a sus deseos. Como esposa suya, tenía la obligación de guardar cualquier secreto del conde de Bellaste, pero eso era solo de cara al exterior; en privado, toda artimaña le sería válida con tal de mantener algún grado de independencia, aunque no estuviera libre de ataduras.

Mordiéndose los labios, apoyó el oído en la madera labrada de la puerta del gabinete y prestó atención.

—*Así que de lo que se trata es de cortar de raíz cualquier posibilidad de que llegue a ser el soberano de España.*

A Elena se le detuvo el corazón oyendo al otro lado la

voz de Diego. Un escalofrío le recorrió la columna vertebral y se cubrió la boca ahogando un jadeo. Parpadeó pensando, pensando... Respiró hondo, contó hasta diez... El corazón seguía bombeando de forma incontrolada y el zumbido de su latir se alojó en su cerebro.

¡¡¡Traición!!!

La palabra restalló como un disparo en su cabeza.

Ni más ni menos que una conspiración, una conjura para asesinar al legítimo heredero de la Corona de España, don Carlos, el primogénito de la reina Juana y Felipe el Hermoso.

No podía ser. ¡Diego no podía formar parte de tan deleznable proyecto! Se le antojaba imposible que él fuera a traicionar a la institución monárquica. De Cisneros, hasta lo podía admitir, porque la política tuerce muchas voluntades, el poder envilece, más si se ejerce tanto tiempo como era el caso del Regente, que, ahora, volvía a tener el control del país en sus manos. Bien podría haberle tomado el gusto a regir los designios de España. Pero ¿Diego? ¿Él, que luchó por la Corona? ¿Él, que arriesgó su vida, que fue herido en combate, que estuvo a punto de morir por defender unos ideales?

Volvió a pegarse a la madera muy atenta, casi sin respirar, pero por la ventana del pasillo que daba al zaguán se colaba el bullicio de una bandada de grullas, que ese año parecían haberse adelantado a la estación e interfería la conversación que le llegaba entrecortada.

—Eso es —concluyó el Regente—. Y la única forma es asesinándolo.

—¿Tiene vuestra Eminencia una idea de cómo y dónde puede llevarse a cabo?

—Eso te lo dejo a ti, Diego. Nunca me has fallado y ahora tampoco puedes hacerlo. La seguridad de España está en juego.

12

Elena no quiso seguir escuchando. Temblaba como una hoja. Se recogió las faldas y echó a correr hacia las escaleras atravesando el vestíbulo y subiendo los peldaños de tres en tres. Colapsada, solo era capaz de repetir un insistente pensamiento: «traición, traición, traición...». Al llegar al último escalón pisó un pliegue de su falda, que se desgarró, cayendo dolorosamente sobre las rodillas. De inmediato se impulsó hasta ponerse de nuevo en pie, oyendo cómo abajo se abría la puerta del gabinete. Precipitadamente entró en su cuarto y cerró despacio, sin hacer ruido, apoyándose luego contra la puerta, palpitándole el corazón, llena de desconsuelo por la duda que aguijoneaba su cerebro.

Un ramalazo de tribulación se apoderó de ella y contuvo un sollozo.

¡Se había casado con un conspirador! De todos era sabido que había espías por doquier en aquellos tiempos, pero ¿él? Si era un intrigante, tarde o temprano podría ser descubierto. Y cuando eso sucediera... Cuando Diego fuera desenmascarado... No habría piedad para la traición, lo ejecutarían.

Se dejó resbalar hasta el suelo y quedó allí, hecha un ovillo, a expensas de una congoja que alentó sus lágrimas. De poco le servía la carta que tenía en la mano. Un as de triunfo que no podía utilizar contra Diego. ¿Cómo iba a delatarlo? ¿Cómo iba a denunciar al hombre por el que vibraba con solo tenerlo cerca, por más que tratara de disimularlo? ¿Cómo iba a acusarle? Porque por mucho que se hubiese negado a casarse con él, por mucho que le opusiera por sistema en una guerra de egos, seguía enamorada de él sin remedio.

Tanto Diego como Cisneros creyeron haber captado algo fuera del despacho. El conde de Bellaste se llevó un dedo a los labios pidiendo silencio y se llegó hasta la puerta, que abrió de golpe. Oteó a un lado y otro de la galería. Aunque era bastante tarde, las grullas seguían emitiendo su monótono e irritante gorjeo y se preguntó si presagiaban algún infortunio, cual aves de mal agüero. No vio a nadie y regresó al interior.

—¿Quién era? —preguntó el cardenal apenas cerró.

—No había nadie. Alguno de los perros, tal vez —mintió, percibiendo aún en sus fosas nasales el perfume de Elena.

¿Había pasado simplemente por allí o había escuchado algo? ¿O acaso era él, que fantaseaba? Lo relacionaba todo con ella: un olor, el cielo, el reflejo del sol... Se estaba convirtiendo en el centro de su vida, el punto neurálgico del que emanaban todas sus emociones.

—¿Y bien? —le azuzó Cisneros—. ¿Qué me dices? ¿Te encargarás de este espinoso asunto?

—Sí —aceptó Diego—. Mis dos mejores hombres se pondrán manos a la obra, Eminencia. Si ellos no logran resultados no tendremos margen de maniobra.

—Confío en ti, muchacho. Lo sabes.

El joven cabeceó agradeciendo sus palabras.

—Lo sé, Eminencia, lo sé. Y os prometo que haré todo cuanto esté en mi mano para poner a salvo a Fernando, aunque ello implique enviarlo con Maximiliano. Debo confesar que más de una vez he pensado que sería mejor rey que su hermano, si bien Carlos es el legítimo heredero del trono.

—No somos quiénes para objetar los designios divinos.

—Con eso, a veces, me cuesta estar de acuerdo, Eminencia. Sobre todo, si los designios del Altísimo provocan que el pueblo pase hambre. Hasta tal punto, que muchos nobles se oponen en silencio a las decisiones que se toman en Flandes en nombre de España. Porque la presencia de un rey medio extranjero nos puede llevar a todos a una guerra. Pero juré lealtad y cumpliré mi palabra, no tengáis duda alguna. Si es preciso, moriré por salvar al hijo de la Reina.

13

La duda le corroía.

Dos días hacía que eludía, en lo posible, tanto la presencia de Diego como la del cardenal. Hasta había relegado al olvido la apurada situación en que se encontraba Balbina Cobos.

Para huir de la zozobra se sacó de la manga la visita a una antigua amiga de la infancia y se escabulló de Los Arrayanes. Escoltada, eso sí, por los dos hombres a quien Diego había encomendado su custodia, y que no se separaban de ella ni un momento. Pero poco le importaba pagar el precio de su innecesaria y molesta compañía con tal de poner distancia.

Isabel Bohórquez era una joven con la que nunca había intimado demasiado, a decir verdad. Se conocían desde que eran pequeñas, pero apenas existían entre ellas lazos afectivos. Sin embargo, Isabel la recibió en apariencia encantada por su presencia en su casa e insistió en que se quedara algunos días con ella, a lo que la reciente condesa accedió, puesto que ese era su verdadero propósito. Para la Bohórquez, su estancia allí representaba un aldabonazo para presumir ante todos de su amistad con la condesa de Bellaste; para Elena, la excusa ideal para mantenerse apartada de Diego, meditando su situación y la de toda la familia si se confirmaba la trama que sospechaba llevaba a cabo él. De modo tal que envió recado a Los Arrayanes rogando que el cardenal y su abuela disculparan su ausencia durante algunos días, y poniendo a Diego al tanto del caso de doña Balbina.

Diego leyó la nota, la estrujó y la arrojó lejos de sí.

—¿Malas noticias?

Se volvió para encarar a doña Camelia.

—Elena se queda unos días en casa de los Bohórquez. Me pide que transmita a usted y al cardenal sus disculpas y, de paso, que interceda por la señora Cobos, retenida por los agentes de la Inquisición.

Las cejas exquisitamente cuidadas de la inglesa se arquearon. Se sacudió la manga del vestido y reparó en el ceño fruncido del joven.

—¿Con qué cargos ha sido apresada doña Balbina?

—No lo dice. Pero lo averiguaré.

—Sé que no guardas afecto a esa dama, Diego.

—No. No se lo tengo. Hizo sufrir a mi madre hechizando a mi padre durante una temporada. Pero, a decir verdad, no la creo capaz de incumplimiento alguno por el que pueda ser retenida por la Inquisición.

—Tampoco yo. ¿Quieres que le hable a Cisneros?

—De momento, no —repuso, mirando con despecho la

nota de Elena, que destacaba como un faro sobre la alfombra.

—Mi nieta nunca tuvo excesiva afinidad con los Bohórquez, tiene que haber una razón de peso para que haya ido a visitarlos —murmuró doña Camelia, como si adivinase sus pensamientos.

—Supongo que es un modo como otro cualquiera de no estar aquí —respondió él—. Elena odia esta casa.

—Eso no es cierto, muchacho. Esta hacienda fue siempre como su segunda vivienda.

—Lo fue, sí. Pero de eso ha pasado mucho tiempo.

—Y tú parece que tienes poco para dedicarle.

Diego se irguió ante el reproche. ¿Qué podía responder a una anciana que las veía venir de lejos? Desde que Elena rechazara compartir su lecho y él se negara a aceptar aquella estúpida proposición de concederle libre albedrío económico, se estaban distanciando cada vez más. Se cruzaban por la casa como dos extraños aunque a él se le aceleraba el corazón cada vez que la veía, dormían en habitaciones separadas cuando soñaba con tenerla en su cama cada noche, y no se hablaban salvo para discutir. ¡Por Dios que él moriría por pulir diferencias y recobrar la armonía que los unió antaño! Pero no encontraba el modo de conseguirlo salvo renunciando a sus principios y humillándose ante ella. ¡Y a eso no estaba dispuesto! Elena era su esposa ante Dios y ante los hombres y, más tarde o más temprano, debería resignarse, decidió en un lance de arrogancia masculina.

—Usted no lo comprende, doña Camelia.

—Soy vieja, hijo, pero no ciega. Ni sorda. —Se acomodó en una butaca y palmeó la contigua instándole a tomar asiento a su lado—. Sé muy bien por lo que estáis pasando desde la noche de vuestra boda, Diego. —Él perdió el color y sus ojos fulguraron—. Una niñería de mi nieta, lo admito. Otro esposo, en tu lugar, le hubiera calentado el trasero.

—¡Jamás pondría una mano sobre Elena!

—Ni yo te lo permitiría. Lo que quiero decir es que la táctica de mantenerte alejado no va a darte resultado con ella. Elena es empecinada, tanto o más que tú. No era contraria a casarse, pero deseaba un esposo elegido por ella, no uno impuesto. En el fondo es una romántica, Diego. Y tanto su padre, al pactar vuestro enlace, como tú, aceptándolo sin consultarle siquiera, la habéis mantenido al margen. Cometisteis un grave error porque ella lo ha tomado como una humillación.

—Las cosas siempre se han hecho así.

—Lo que no quiere decir que estén bien hechas. Con Elena debes debatir, nunca ordenar; pedir su opinión, aunque acabes aplicando la tuya, pero jamás imponérsela. —Apretó el brazo del joven con cariño—. O está a tu lado como una igual, Diego, o no la tendrás jamás.

La advertencia de doña Camelia quedó flotando en el ambiente, abriendo en Diego una ventana de inquietud.

—Siempre traté de hacerlo así —se defendió—. Acepté sus correrías, las animaba incluso. Para mí fue mi princesa, un camarada más.

—Tal vez ahí radica el problema: Elena ya no es la chiquilla que se presentaba cubierta de rasponazos después de trepar a un árbol o rebozada en barro de pies a cabeza. No es aquel marimacho, Diego. Sigue siendo igual de empecinada, tanto o más osada que cuando era una niña, pero ahora con el temperamento y formación de una mujer. Con personalidad, entereza y más redaños que muchos varones, pero una mujer.

Él trataba de asimilar lo que quería decirle. Demasiado se había dado cuenta del salto cualitativo producido en Elena durante aquellos años, él, que estaba enamorado de ella desde hacía mucho tiempo. Sí, enamorado como un pardillo de aquel torbellino de ideas rompedoras y juicio propio.

Doña Camelia se levantó haciendo el amago de imitarla, pero ella no se lo permitió.

—Elena se cautivó por ti cuando era una niña. Su amor creció siendo ya adolescente. Dudo mucho que ese sentimiento haya desaparecido del todo, hijo. Vuelve a conseguir que se enamore de ti, Diego. No puedo creer que un hombre como tú no tenga argumentos para conquistar a su propia esposa. Sedúcela, muchacho —le dijo por encima del hombro, abandonando ya la estancia—. A las mujeres, eso nos encanta.

A solas, Diego estiró sus largas piernas y se frotó los párpados, martilleando en su cerebro el consejo de la anciana. Seducirla. Exactamente eso era lo que le había prometido a Elena cuando le dijo que no le quería en su cama, pero la frialdad que exhibía para con él desde entonces lo desarmaba. Aun así, fue absolutamente consciente de haberla convertido en melaza cuando la había besado. Lo que evidenciaba, pues, que su lejanía era más aparente que real, que él no le era indiferente, que su rebelde y castellana esposa no era tan insensible a sus caricias como quería hacerle ver. Doña Camelia tenía razón.

—Bien, señora esposa —se dijo en voz alta—. Me doblego ante la sabiduría de nuestros mayores. Saquearé tus defensas una a una. Una a una, Elena, aunque ello me lleve la vida entera. Y entonces, sin remedio, serás mía.

La discreta llamada y posterior aparición de Savatier hicieron que aparcara momentáneamente la imagen de la mujer que le estaba quitando el sueño.

—Señor, están aquí —dijo el mayordomo.

—Hazles pasar a mi gabinete, Guillermo. Estoy con ellos en un minuto.

Subió a su habitación a la carrera, se quitó la camisa con la que había estado faenando, se lavó cara y brazos y sustituyó la prenda por una limpia. En su cabeza ya solo había lugar para aquellos dos hombres a los que había mandado llamar. Lo que se traía entre manos era más importante incluso que salvar su matrimonio, porque sin lo uno no podría haber lugar para lo otro, así que arrinconó a Elena en un lugar apartado de su cerebro y bajó a su despacho. La vida de muchas personas, acaso la suya propia, y el futuro de España, tenían prioridad absoluta.

Estrechó la mano a los recién llegados invitándoles a que se acomodaran. Savatier entró un instante para dejar a su alcance una bandeja con vasos y una botella de aguardiente, y volvió a salir, cerrando a sus espaldas.

—Tengo un trabajo para vosotros.

Los dos sujetos asintieron sin quitarle ojo. Hacía años que trabajaban para el conde de Bellaste y no desconocían las implicaciones que llevaba aparejadas su labor.

Diego les puso al tanto con claridad, rápido, escuetamente y sin andarse por las ramas.

—Tenemos poco tiempo —concluyó—. Necesitamos saber cómo, cuándo y dónde traman asesinar al infante, si es que piensan hacerlo. Y, sobre todo, quién está detrás de esta maniobra.

—¿Hemos de suponer, entonces, que se pretende acabar con la vida de don Fernando antes de que don Carlos pise tierra española? —preguntó uno de ellos.

—No sé ni un ápice más de lo que os he contado. Pero sí, en efecto, cabe suponer que ese sea el plan. Trabajamos a tientas, con un plazo demasiado corto, ya estáis al tanto.

—Si no os parece mal —aventuró el otro—, empezaremos por seguir la sombra del vizconde de Arend.

14

A Diego no le extrañó ni pizca que aquellos dos se hubiesen anticipado a su propia propuesta, porque Luciano Fuertes y Rosendo de Cervera constituían la mejor pareja de sabuesos que nunca hubiera conocido. Leales desde que intimaron en Flandes, eran competentes y eficaces, no le fallaron jamás hasta el punto de confiarles su vida.

—¿Por qué ese hombre?

—Bueno, ya sabéis que estamos siempre ojo avizor, el fulano se granjeó nuestra animadversión por tratar mal a un paisano y decidimos saber algo más de él. Luego, sus movimientos nos alarmaron. Pura casualidad, por así decirlo.

—¿Qué sabemos pues de Leonardo Gautiere?

—El vizconde llegó a Toledo hará un par de meses —contestó Fuertes—. Es un tipo pagado de vanidad, actitud que no le granjea simpatías precisamente. Adquirió casa, contrató sirvientes y se dio en pavonearse por la ciudad como si fuera el valido del Rey.

—No es que sea significativo —intervino de Cervera, sirviéndose un poco de aguardiente—, pero ha recibido numerosas visitas, algunas de las cuales nos llamaron la atención. En particular, la de un sujeto con el que hemos tenido algún... contratiempo y que, por lo que sabemos, se ha convertido en la mano derecha de Charles de Poupet, señor de la Chaux, desde que el flamenco se instaló en Valladolid.

—¿Su nombre?

—Ginés de Parra —continuó Luciano—. Un tipo capaz de rebanar el cuello a su santa madre por un par de monedas.

—Entiendo.

—Como sabemos que cualquier información puede ser susceptible de ser utilizada, metimos las narices por ahí.

—¿Y?

—Bueno... Hemos llegado a la conclusión de que entre Poupet y Gautiere hay alguna clase de relación, más de la que dejan aparentar. No es casual que compartan sicario. Por otra parte, Parra se ha reunido un par de veces con un tipejo que viste de negro, que tiene pinta de curilla, apellidado Montero.

—¿Froilán Montero?

—¡Vaya, jefe! —se alegró Rosendo—. Pese a su reciente boda no ha permanecido ocioso.

—Intento no estarlo —aceptó Diego la ironía. Se levantó y sus hombres hicieron otro tanto—. Os quiero pegados a las suelas de sus botas. A las botas de esos tres. ¿Quiénes con más razones que unos flamencos para estar tras la amenaza al Infante?

Volvieron a estrecharse las manos con una camaradería cuyos lazos había robustecido el hecho de haber combatido codo con codo, muchas veces burlando la muerte.

Diego les vio partir, agradeciendo a la Providencia contar con semejante par de colaboradores. Quisiera la misma Providencia que su intuición les guiara a obtener la pauta con la que abortar una conspiración. Luego se olvidó de ellos, pidió su capa y su caballo y salió de Los Arrayanes en dirección a la villa para ocuparse de la suerte de Balbina Cobos.

Nadie hubiera dicho, viéndola en esos momentos, que la viuda de Patricio, a sus cuarenta años, había sido una belleza: de estatura media, rotunda de cuerpo y ojos almendrados, había competido con mujeres más jóvenes en el arte de la conquista de corazones masculinos.

Ahora, sin embargo, se mostraba poco menos que como una pordiosera.

La dama gozaba de prestigio social, de nombre y de dinero. Pero ni el apellido de su difunto esposo ni sus influencias, que se decía que apuntaban a lo más alto de la corte, habían librado a Balbina del arresto que dio con sus huesos en el cuarto de la que acababan de sacarla, en el que estaba desde hacía días, para llevarla a empujones hasta un espartano despacho en el que la esperaban dos hombres: un sacerdote y un guardia.

Aquel hizo una seña con la barbilla al carcelero que la había custodiado, y este desapareció, cerrando la puerta tras de sí.

—¿Es usted Balbina Cobos?

Mujer de temple desde la cuna, se sobrecogió a su pesar en presencia de los dos sujetos cuyos rostros, velados por las sombras, no podía distinguir. Se había rebelado protestando airadamente cuando tres individuos se personaron en su casa a altas horas de la noche, sacándola de su propia cama sin miramientos, cundiendo la alarma entre sus criados, que contemplaron atónitos cómo era arrastrada e introducida, a la fuerza, en un carro cerrado. Cuando la sacaron de él y se halló frente a la casa de Raimundo Fernández, requisada por la Inquisición, comenzó a desmoronarse. Desde la real cédula del 17 de mayo de ese mismo año, se había ordenado al obispado de Badajoz, así como de otras ciudades, que los oficiales e inquisidores fueran alojados gratuitamente, habiendo recaído tal desgracia en la casona del bueno de Raimundo.

Balbina había pedido explicaciones. Por supuesto que lo hizo. ¿Por qué se la había sacado de su lecho, apenas cubierta con un camisón? ¿Qué tenían contra ella? Moralmente, sin que su vida hubiera sido ejemplar, nada podía reprochársele: seguía las normas de la Iglesia, acudía a oír misa regularmente y daba dinero a los pobres. Provenía de una familia cristiana, por lo tanto no cabía pensar que la hubiesen arrestado por prácticas judaicas. Pero la respuesta que recibió fue un aluvión de golpes propinados a diestro y siniestro, que la dejó medio inconsciente.

A pesar de su apariencia lamentable, con un ojo morado casi cerrado, un labio hinchado y partido y dolorida por todo el cuerpo, elevó el mentón con aire regio.

—Así me llamo —respondió.

—Siéntese.

Balbina desplazó la vista a la silla situada en medio de la estancia. La habían colocado estratégicamente, justo en el lugar en el que incidía el rayo de un sol mortecino que se filtraba por la ventana. Ella no podía ver bien a sus dos carceleros, al contrario que ellos, lo que la colocaba en una posición de franca desventaja, no solo física sino anímica. Tomó asiento, apretando los puños para darse ánimo, y esperó.

—¿Dónde esconde el resto de los escritos?

—¿Escritos? ¿Qué escritos?

—Apuntes satánicos —insistió el sacerdote—. Solo se han encontrado estos. —Empujó hacia ella, sobre la mesa, unas pocas cuartillas—. ¿Vais a negar haberlos escrito vos?

Balbina tragó saliva e intentó no traslucir el pánico que la atenazaba. ¡Apuntes satánicos! Jamás había oído nada tan incongruente. Tenía que tratarse de un error. Tal vez la confundían con otra persona, seguramente...

—¿Puedo verlas? —Asintió el clérigo y ella se incorporó para acercarse a la mesa—. No es mi letra.

—De todos es sabido que cuando se escribe a dictado de Lucifer se desvirtúa la escritura.

—Yo no he escrito esas hojas. No se me ocurriría escribir nada contra la Iglesia, padre. Soy...

—...Un peligro para los creyentes —zanjó el cura elevando la voz—. Sentaos. —Suspiró, se recostó en el asiento y cruzó las manos sobre su estómago—. Hija, si confesáis, vos y nosotros nos ahorraremos malos tragos. Decidnos dónde están los escritos para quemarlos, arrepentíos de vuestro infame pecado y seréis perdonada. Solo queremos salvar vuestra alma inmortal. De lo contrario...

A la dama no le hizo falta que le dijese más. Ella sabía de casos en que la tortura había conseguido confesiones de pecados inimaginables. Flaqueó especulando qué tipo de suplicios podrían serle aplicados con tal de que hablara, a qué sufrimientos debería enfrentarse. Pero ¿qué podía contarles si nada sabía? ¿Cómo indicarles el lugar en el que se encontraban unos escritos cuya existencia desconocía?

—¿Quién me ha delatado? —preguntó en un susurro, a la vez que hacía cábalas y enumeraba mentalmente a las personas que podían querer vengarse de ella.

—Eso no os lo puedo decir.

—¡Es una maquinación! —gritó Balbina levantándose, llegando hasta la mesa y apoyando en ella sus temblorosas manos. Se le olvidó que se había propuesto no llorar ante ellos. El pavor pareció alumbrar su embotado cerebro y de repente intuyó quién podría ser el causante de su desgracia—. ¡Ha sido él! ¡Poupet! ¡Poupet! ¡Soy inocente!

Siguió repitiéndolo hasta que el oficial la arrancó de la mesa y le cruzó la cara partiéndole nuevamente el labio, por el que se le escapó un hilillo de sangre. Cayó de rodillas hecha un mar de lágrimas, martilleando en su cabeza el nombre del malnacido flamenco.

—¡Carcelero!

Unas manos fuertes la pusieron en pie con rudeza. El terror acabó por mermar las pocas fuerzas que a Balbina le quedaban y se derrumbó en brazos del guarda, mientras, a sus espaldas, gritaban la orden que la condenaba a uno de los tormentos más espantosos:

—Aplicadle la cabra.*

---

* Consistía en bañar los pies del reo en agua salada. Luego, se le acercaba una cabra a los pies y el animal pasaba su áspera lengua por la planta hasta desollar la piel llegando incluso hasta el hueso.

15

El caballero que aguardaba dentro del carruaje se pasó un dedo entre el cuello y la gorguera dejando escapar un suspiro de incomodidad. Aquella condenada ciudad castellana resultaba demasiado tórrida para él, incluso en la estación en la que estaban. Se inclinó hacia la ventanilla y ahuecó la cortina para echar un vistazo al exterior. Arrugó la nariz con desagrado y se preguntó por qué demonios su contacto habría elegido el barrio de Antequeruela para la cita. Clavó la mirada en el pequeño pórtico de la Puerta del Vado, alojado entre los dos arcos de la fachada principal. La barriada estaba siendo transitada por gente artesana, en su mayoría alfareros, que arrojaban sus desechos en las cercanías. Reconocía que era un lugar perfecto para un encuentro discreto, pero le desagradaba haber sido emplazado allí, aunque era poco probable que su carruaje fuese reconocido en esa zona.

Charles de Poupet estiró las piernas para continuar esperando al tipo con el que el propio Adriano de Utrech le había instado a entrevistarse.

No hubo de aguardar demasiado. Apenas unos minutos después la puerta del coche fue abierta, subiéndose un hombre que se acomodó frente a él. Momentáneamente, ninguno de los dos habló, estudiándose el uno al otro.

—Tengo noticias —dijo por todo saludo el recién llegado.

Poupet descorrió de nuevo la cortina echando otra ojeada afuera. Un grupo de chicuelos mantenía una guerra de bolas de barro en medio de un griterío que empezaba a molestarle. Golpeó un par de veces el techo del coche y este se puso en movimiento, alejándoles de allí, hacia extramuros.

—Vos diréis entonces, vizconde.

—Algunos nobles están dispuestos a apoyar al infante Fernando oponiéndose a los legítimos derechos que el Rey cedió a don Carlos en su último testamento, ya lo sabéis.

—Por eso se os hizo venir a España: necesitamos saber cuántos y quiénes son. Se os encargó averiguar su identidad.

—En ello estoy, no os impacientéis. Pero uno de ellos me inquieta. No sé qué pensar de doña Germana de Foix, tengo dudas de si la tenemos de nuestro lado. Pude interceptar una carta enviada a Ubaldo Andújar, conde de Berlejo, en la que le escribe que le concederá un préstamo, por lo que tal vez esté jugando a dos aguas.

—He oído hablar del tal conde, perteneciente a la Casa del Infante, si estoy bien informado.

—En efecto. Es poderoso y goza de privilegiadas relaciones. El conde de Berlejo no es simplemente un aliado del Infante. Alguien como él, en unión de otros nobles, es de enorme peligro para la herencia de don Carlos y, por tanto, para nosotros. Se manifiesta inequívocamente para que el de Habsburgo gobierne únicamente sus estados borgoñeses dejando libre el trono español para Fernando, lo que nos coloca en un brete. Una gran masa popular piensa igual que él y no sería de extrañar que propiciara un levantamiento.

Poupet le escuchó con atención. Él había sido enviado a la Península para salvaguardar los intereses del hijo primogénito de Felipe el Hermoso. Acabaría con cualquiera que se opusiera. Una revuelta, a esas alturas, tan próxima la llegada de don Carlos a la Península, no les beneficiaba en absoluto. Los ánimos estaban ya suficientemente caldeados y buena parte del populacho podría tomar partido por un rey más cercano a ellos.

—Es necesario consolidar a don Carlos en el trono como sea —prosiguió el vizconde—. El emperador Maximiliano y el mismo Papa, León X, nos apoyan.

—Y ellos, vos y yo, sabemos que no es del todo legal. Los testamentos reales y el juramento en las Cortes explicitan que solo debe ejercer como Gobernador del reino. Únicamente la muerte de la reina Juana le daría el trono y ella sigue viva. Castilla se puede convertir en un polvorín. Hasta el Consejo le escribió a don Carlos instándole a no tomar el título. «Porque aquello sería disminuir el honor y reverencia que se debe por ley divina y humana a la Reina nuestra señora, vuestra madre, y venir sin fruto ni efecto ninguno contra el mandamiento de Dios, que os ha de prosperar y guardar para reinar por muchos y largos años»[*] —recitó textualmente—. Leí esa maldita carta.

* Sandoval: *op. cit.*, libro II, capítulo IV, pp. 77-79; y Santa Cruz: *Crónica del Emperador... op. cit.*, capítulo XXVIII, pp. 108-110:

—Afortunadamente, don Carlos no atendió a razones y en Madrid se alzaron pendones por doña Juana y por él. Hasta Cisneros ha terminado por claudicar y ha cambiado a los servidores de la Casa del Infante para evitar su influencia sobre don Fernando. El cardenal contendrá a los castellanos. Otra cosa distinta es Aragón.

El señor de la Chaux asintió, asomándole un tic nervioso bajo el párpado derecho. Demasiado bien conocía él la tenaz oposición del reino aragonés, que había dejado claro que solamente las Cortes generales podían aclarar el tema de la sucesión. Las cartas enviadas por don Carlos como Príncipe se guardaban sin abrir hasta ser admitido como rey; las que enviaba como rey eran devueltas de inmediato.

—Debemos quitar de en medio al conde de Berlejo —continuó Gautiere con aquella voz átona que desagradaba profundamente a Poupet—. Sin él, los aliados del infante se verán notablemente mermados.

—¿Y Germana?

—A ella debemos dejarla al margen. Lo he prometido.

—¿Y desde cuándo cumplís lo que prometéis, señor de Arend, porque no son esas las noticias que sé de vos? —le hostigó.

Gautiere no respondió a la insolencia. No le interesaba enfrentarse con su interlocutor; su brazo era demasiado largo para tenerle como enemigo declarado. Pero se juró que alguna vez, cuando las circunstancias le fueran favorables, aquel condenado pagaría, una a una, sus ofensas.

—Acabemos de una vez —zanjó Poupet—. ¿Tenéis la carta destinada a Andújar?

El vizconde sacó la copia que había hecho antes de permitir que la misiva llegara a su destino y se la tendió. Con suma atención, la mirada de Poupet recorrió las líneas de letra pequeña y cuidada y se la devolvió con un gesto de hastío.

—No es vinculante. En efecto, solo habla de un préstamo, pero en nada se implica a Germana. Tened vigilada a la dama, de todos modos, pero no os acerquéis a ella. Si está a favor de apoyar la causa del infante Fernando ya tendremos tiempo de tomar medidas. Lo que debemos evitar, a toda costa, es que le nombren legítimo heredero antes de que don Carlos llegue a tierras cántabras. Y no me importa a quién debamos dejar a un lado del camino para conseguirlo.

—¿Tengo, por tanto, vuestro beneplácito para eliminar al conde de Berlejo?

—Podéis actuar como mejor os plazca. Pero recordad: yo nunca he dado la orden.

16

Elena aceptó la mano de Diego para descender del coche.

Lo hizo sin mirarle, corroída por la sombra de la sospecha. Durante su ausencia había reflexionado acerca de su proceder para acabar reprochándose haberse comportado como una cobarde, huyendo del problema en lugar de afrontarlo.

La actitud de Diego, desenfadada, no dejó traslucir ningún tipo de reproche o molestia por su ausencia. La acompañó gentilmente hasta la entrada para disculparse después aduciendo asuntos que atender. Ni una palabra, ni una pregunta, ni una mirada airada. Nada. Era como si su desaparición, saldada con una escueta nota de disculpa, la hubiera aceptado sin más. Esa actitud por su parte le molestaba mucho más que si se hubieran enzarzado en una discusión, porque solo podía significar que a él le importaba un comino su ausencia.

Hubiera querido preguntarle, además, si había podido

obtener nuevos datos acerca del apresamiento de Balbina Cobos, pero Diego no le dio ocasión.

Durante el resto del día no volvió a verlo. Lo agradeció, ya que su cabeza era como una olla en ebullición a punto de rebosar, sopesando si mantenerse en silencio o poner en su conocimiento que sabía de su conversación con Cisneros.

Tampoco el cardenal hizo comentario alguno durante la comida, a la que Diego no acudió, a propósito de su repentina partida. Lo mismo que su abuela, muy poco comunicativa excepto para dialogar de temas triviales, aunque no cesó de lanzarle miradas severas. ¿Qué ocurría allí? ¿Le estaban haciendo el vacío? Sabía que la reprimenda de su abuela vendría más tarde, pero no tenía disposición de ánimo para oponérsela, así que, con la excusa de no encontrarse bien, se encerró en su habitación apenas servidos los postres.

Doña Camelia no vino a interesarse por ella, como temió Elena que haría. Era lo que quería, no ser molestada, pero en el fondo se sintió un poco recelosa de que su abuela no fuera a preguntarle. Pidió a una criada que la excusara a la hora de la cena y le subiera una bandeja con cualquier cosa. Nunca había sido cobarde, pero en esta ocasión tal vez hubiera estado mejor a mil leguas de Los Arrayanes.

Apenas pudo conciliar el sueño durante la noche. Se despertó con esa sensación de frustración que precede a los días poco propicios, pero se quedó de piedra ante la sorpresa que le aguardaba sobre su almohada: una flor silvestre... ¡y una ramita de acebo!

La invadió un arrebato de mal humor recordando que, años atrás, Diego le había explicado que la especie era dioica, es decir, que hacía falta una hembra y un macho para obtener frutos. «Como para tener hijos», había matizado muy serio. En aquel momento ella no entendió nada de nada, pero había llovido mucho desde entonces. Ahora no era tiempo de bromas o indirectas. Ni mucho menos. Interpretó el detalle como una insinuación capciosa al hecho de que ella se negase a compartir el lecho conyugal. Arrojó la flor y el acebo por la ventana con gesto desabrido.

Se aseó y procuró dominar su mal talante mientras una sirvienta la ayudaba a vestirse. Diego pedía guerra a gritos y ella no se la iba a negar. Si pensaba que iba a burlarse de ella como cuando era una canija, pinchaba en hueso. Pero no jugaría con sus armas, con las que él ganaría siempre. Se haría con las suyas: teniéndole a sus pies para rechazarle cuantas veces quisiera. Elena Zúñiga era todo menos un ratón asustado.

Como primera medida eligió un vestido de amplia falda y ajustado corpiño con cordones a la espalda. Dejó que le trenzaran el cabello y después se dio una vuelta completa frente al espejo. Se vio muy bien. Nadie podría recriminarle no lucir al dictado de una verdadera dama, acostumbrados como estaban a sus atuendos cómodos, no demasiado femeninos.

Bajó al comedor dispuesta a todo. Pero no estaba preparada para un Diego galante que le dedicó una sonrisa embaucadora.

—Te me apareces como un sueño, querida esposa. Soy el hombre más afortunado de la Tierra.

Elena no contestó. Se limitó a dar los buenos días al cardenal y a su abuela, pero sin dirigirse a él, ocupando la silla que su esposo apartaba caballerosamente.

—¿Has descansado? —preguntó su abuela.

115

—No muy bien.

—¿La conciencia, tal vez?

Cisneros carraspeó, disimulando Diego su regocijo por la fina ironía de la dama, acercándole solícito la bandeja de panecillos tostados y hundiendo ella la cabeza entre los hombros. A Elena se le evaporó toda sombra de apetito.

—Y bien, tesoro. ¿Alguna nueva de la hacienda de los Bohórquez? ¿Cómo está Isabel?

Por los ojos de Elena pasó raudo un relámpago de carga airada. No se le olvidaba que Isabel había sido su rival desde siempre por la atención de Diego.

—Bien —contestó desganada—. Es su madre quien padeció un fuerte resfriado, del que, afortunadamente, ya está restablecida.

—Y... ¿qué has hecho por allí estos días, mi amor?

Elena irguió la espalda y estrujó la servilleta en su puño. ¿Qué diantre perseguía Diego? ¿Por qué se mostraba tan zalamero? Podía enfrentarle malhumorado, pero no cuando su actitud era la de un esposo aparentemente enamorado, porque su voz, como terciopelo, le aceleraba el pulso. Y si se acercaba tanto como estaba haciendo en ese momento... Mientras hablaba, él había deslizado un brazo sobre el respaldo de su silla y sus dedos jugueteaban con los cordones de su corpiño. El roce de su mano provocó que a Elena le recorriese un escalofrío por la espalda.

—P... p... pasear —balbuceó.

—¿Habéis ido a pescar? —volvió a preguntar el conde de Bellaste consiguiendo deshacer una de las lazadas y descubriendo un trocito más de la suave piel de su espalda—. Recuerdo que a Isabel le encantaba ir cuando era niña.

—Ya está crecidita para esas cosas.

Elena se echó ligeramente hacia delante para escapar del calor de los dedos masculinos. Diego se inclinó entonces, sin previo aviso, y la besó descaradamente en el cuello provocándole un cosquilleo irrefrenable que la traspasó de pies a cabeza.

—¡Diego!

—¿Qué?

—No estamos solos —le regañó con el sonrojo plasmado en las mejillas—. ¿Puedes comportarte, por favor?

—Vamos, mi cielo —se rio él—. Ni su Eminencia ni tu abuela pondrán impedimento alguno a que un hombre locamente enamorado se lo demuestre a su esposa. ¿No es cierto? —lanzó al aire su desafío.

Cisneros abrió las manos indicando que no tenía nada que objetar; doña Camelia, mucho más ladina que el cardenal, sabiendo por qué derroteros iba su nieto político, dio un mordisco a su tostada y desvió su atención hacia uno de los ventanales, como si con ella no fuera el asunto.

Para entonces, a Elena se le había desanudado alguna más de las lazadas del corpiño y la dichosa prenda empezaba a ahuecarse más de lo prudente sobre su pecho. Lanzó una mirada biliosa a su marido y sopesó la posibilidad de volcarle la jarra de la leche por encima. Como si él hubiese adivinado su torvo pensamiento y quisiera retarla a llevarlo a cabo, paseó el dedo índice por su espalda descubierta, electrizada por un nuevo estremecimiento. Sin andarse ya con sutilezas, ella le golpeó el brazo fulminándole con los ojos.

Diego suspiró exageradamente, se retiró y dijo con el mismo tono de un niño al que le quitan una golosina:

—Mujer perversa...

Cisneros carraspeó intercambiando una mirada de complicidad con doña Camelia para continuar desayunando en silencio, ya más sosegados.

—¿Pudiste interesarte por lo que te decía en mi nota, Diego? —preguntó Elena al cabo de un momento, recobrada en parte la serenidad y acomodándose el corpiño con disimulo.

—Sí. De ello quería hablaros a vos, Eminencia. La viuda de Patricio Antúnez se encuentra retenida por los agentes de la Inquisición. Por más que lo he intentado, no se me ha permitido verla.

—¿Doña Balbina? —se asombró el cardenal—. ¿Con qué cargos?

—Tampoco lo sé con exactitud. Me preguntaba si vos podríais interceder, como Inquisidor General de Castilla que sois.

El Regente demoró su respuesta dando vueltas a la cucharilla en su tazón. Luego elevó los ojos hacia su anfitrión y dijo:

—Escribiré una nota para que te dejen visitar a esa mujer, pero no me pidas más si es rea de injuriar los dogmas de la Iglesia.

—Os lo agradezco, Eminencia. Estoy seguro de que la señora Cobos nunca haría nada semejante.

17

Si una persona podía estar hundida física y moralmente, la mujer que Diego tenía ahora ante sus ojos era el mejor ejemplo. De la dama de clase que él había conocido y tratado no quedaba nada, absolutamente nada. Balbina Cobos se encontraba hecha un ovillo en el suelo, en un rincón del infecto agujero, en los sótanos de la casa donde estaba encerrada, con las ropas desgarradas, el cabello en amasijo y con una palidez en el rostro que lo alarmó. Su espalda mostraba los surcos sanguinolentos que había dejado un látigo. Y sus pies... Se le subió la bilis a la garganta.

—¡Por el Todopoderoso! ¿Qué os han hecho? —murmuró poniéndose de hinojos junto a ella.

Balbina apenas abrió los ojos. A su lado se encontraba el hombre al que menos esperaba ver: Diego Martín y Peñafiel, conde de Bellaste. Aquel a quien ella, en su delirio por conseguir el amor de su padre, había hecho tanto daño. Sin embargo, el joven tomaba ahora su mano reconfortándola con su presencia, visiblemente preocupado. Hubiera querido llorar de agradecimiento, pero ya no le quedaban lágrimas; las había vertido todas bajo las torturas a las que fue sometida.

—Diego... —susurró, apenas sin voz.

—Trate de convencerla para que hable y nos diga dónde están los escritos, señor conde —oyó tras de sí la voz inmisericorde del fraile que le había acompañado hasta allí.

Diego apretó los dientes ahogando una blasfemia. No podía enfrentarse a aquel indigno servidor de Dios investido de sotana, ni siquiera con el apoyo expreso de la nota de Cisneros que había licenciado la entrevista con la reclusa. La todopoderosa Inquisición tenía el brazo tan largo que cualquiera podía caer bajo sus garras.

—Permitidme un momento a solas con ella, por favor. Tal vez si yo le hablo...

Accedió el clérigo de mala gana y salió. Apenas se entornó la puerta, Balbina hizo un esfuerzo por incorporarse apoyándose en la mano masculina. Sus pupilas dilatadas reflejaban el horror de su cautiverio.

—No intentéis moveros.

—He de contaros... —dijo con un hilo de voz—. He de deciros que...

—Callad, por Dios, ahorrad fuerzas. Haré todo lo posible por sacaros de aquí, doña Balbina.

Los labios de ella se estiraron en un rictus forzado, negó con la cabeza y se dejó caer en los brazos del conde.

—Nunca... saldré ya... de aquí.

—Apelaré a...

—Charles de Poupet —musitó.

—¿Qué? —Diego pegó el oído a su boca.

—Poupet... Fernando... Van a... matarlo. Decidle a... la Reina que...

—No habléis.

—Decidle a la Reina... —insistía ella con las últimas fuerzas que le quedaban. Le sobrevino un ataque de tos y un hilillo de sangre manchó la comisura de sus labios. Sus ojos se abrieron desmesuradamente, nublados ya por el hálito de la muerte, plenamente consciente de su final y de que apenas le quedaba tiempo. Solo el suficiente para una palabra más. Una palabra que era el resultado de sus pesquisas antes de ser acusada injustamente y que, en poder del conde de Bellaste, podría salvar la vida del Infante—: Reinosa.

De su garganta escapó un suspiro entrecortado, su cuerpo se relajó, su mirada velada quedó fija en la de Diego. Acababa de entregar su vida a Dios.

Con un nudo en la garganta, Diego alzó en sus brazos el cuerpo exánime de la dama, la depositó en el camastro y salió de allí. Fuera, el fraile esperaba el resultado del encuentro.

—¿Y bien? —preguntó—. ¿Os ha dicho algo?

El de Bellaste se hundió las uñas en las palmas de las manos para contenerse. Si por él fuera, hubiera estrangulado a aquel despojo que se escudaba tras los hábitos eclesiales, y que no era otra cosa que un vulgar asesino.

—Que rece por su alma —contestó haciéndolo a un lado y escapando del sótano como si se estuviera ahogando.

Durante el camino de vuelta a Los Arrayanes, el mensaje final de la viuda de Antúnez no dejó de resonar en su cabeza: *Reinosa*.

Al traspasar la entrada de su casa, Elena le abordó para

interesarse por si había novedades. Diego no le contestó. No podía. Aún permanecía en su retina la ruina del cuerpo destrozado de Balbina. Viendo que Francisco de Cisneros bajaba las escaleras ayudado por doña Camelia, se dirigió hacia él.

—Necesitamos hablar, Eminencia.

Como si de una orden se tratara, el cardenal palmeó el brazo de su amiga de juventud, agradeció sus cuidados y siguió a pasos cortos y algo torpes los acelerados de Diego hacia el gabinete.

Ambas mujeres intercambiaron una mirada desesperanzada. Diego no había dicho nada sobre el estado de la señora Cobos, pero en su semblante consternado llevaba escrita la tristeza y la preocupación.

18

Elena apenas tuvo oportunidad de encontrarse con su esposo durante los días posteriores. Cuando no se encerraba en reuniones interminables con el cardenal, se ausentaba sin explicación alguna, o lo que resultaba más intrigante para la muchacha: los emisarios enviados por Diego y a los que recibía eran continuos. Los mensajeros no hacían sino aumentar su preocupación, reafirmándose en la convicción de que tanto Cisneros como su marido estaban realmente involucrados en asuntos intrigantes. Si en algún momento dudó si había escuchado acertadamente aquella noche en que se apostó tras la puerta del gabinete, el continuo trasiego de idas y venidas y el secretismo con que se conducían alimentaba y disparaba su imaginación.

Consternada por el desenlace fatal de Balbina Cobos, y renuente todo su ser a considerar a Diego un traidor, Elena concentró su tiempo, apoyada por su abuela, en adecuar alojamiento a los sirvientes de la finada, dado que su heredad pasaría a manos de la Inquisición. A su vez, incrementó sus esfuerzos en procurar el bienestar de las clases desfavorecidas, acudiendo con mayor frecuencia al orfanato, a las afueras de Trujillo.

A pesar de ocupar hora a hora cada día, y caer rendida al anochecer, a Elena le costaba conciliar el sueño. Procuraba aislarse, leer, pero le era imposible concentrarse con Diego moviéndose por su cuarto, lo que indicaba que él tampoco descansaba. Escuchaba sus pasos de un lado a otro hasta altas horas de la madrugada.

Se le encogía el corazón sabiéndole a escasos metros de ella, pero tan distante como si estuviese al otro lado del Atlántico. De hecho, apenas habían vuelto a cruzar palabra desde que él regresara de la triste visita a Balbina Cobos.

La estación dio paso a unos días desapacibles que anunciaban el otoño venidero. El mal tiempo se les echaba encima sin remisión y Cisneros comenzó a quejarse de molestias en las articulaciones y de un cansancio que le apartó de la rutina de sus paseos matutinos. Se negó a ser visitado por el médico y continuó, desde Los Arrayanes, desempeñando su papel de Regente de España con pulso firme.

Como si la llegada de las bajas temperaturas hubiera sido el presagio de nuevas complicaciones, se personó en la hacienda el portador de una noticia excelente para Elena y poco grata para Diego: la condesa de Bellaste podía al fin hacerse cargo de su fortuna personal. Así pues, no renunció a su porfía y en cuanto le fue posible se hizo con el montante de los honorarios que Diego había pagado al galeno, para entrar en el despacho de su esposo sin demora.

Él centraba su atención con el ceño fruncido en unos

mapas desplegados sobre el escritorio, como si todo su mundo se limitase a ellos. Ni se dio cuenta de la presencia de la muchacha hasta que una bolsa aterrizó con un golpe seco sobre la mesa, haciéndole respingar. Elevó los ojos y suavizó el entrecejo. En sus labios se abrió paso una sonrisa... hasta que Elena señaló el saquito con la barbilla y dijo:

—Lo prometido.

Diego estaba agotado. Días y noches de incesante trasiego de informes que no terminaban de confirmar si, en efecto, Reinosa —el nombre que doña Balbina había pronunciado con su último aliento— era ciertamente la población elegida por los detractores del infante Fernando para intentar su juego criminal. Sin embargo, sus temores y cansancio quedaron relegados ante la presencia de su esposa, como si el simple hecho de tenerla allí le insuflara nuevos bríos. Elena era para él su alimento, la fuerza para seguir adelante, el hálito que necesitaba para no detenerse en aquella caza de locos en la que Cisneros le había involucrado.

Arriesgaría su vida con gusto si con ello conseguía evitar una guerra civil; quería para su esposa una España en paz donde poder criar a los hijos que vendrían. Porque vendrían... aunque poco estaba haciendo él por que así fuera, dejando de lado todo lo que le distrajera del grandísimo desafío al Estado, que el cardenal y él se empeñaban en evitar.

Admitía que su proceder en los últimos días dejaba bastante que desear para un esposo complaciente. Ni siquiera había sido el de un simple esposo, para ser sinceros. Hasta había pospuesto sin más la promesa que le hiciera a ella en su ruinosa noche de bodas a propósito de seducirla. Poco caso le había hecho a Elena, ofuscado en hallar un resquicio de luz con el que abortar el complot.

—¿No vas a contarlo? —se impacientó ella, que soportaba mal su silencio, sintiéndose como un bicho raro observada por aquella mirada dorada.

Diego desvió un instante sus ojos a la talega para volver a centrar toda su atención en el perfecto rostro de ella.

—¿Qué es esto?

—Lo que te debo por los honorarios del doctor Unzaga.

—Creí que el tema había quedado zanjado —repuso tranquilo, aunque se le ensombreció la expresión.

—Posiblemente para ti, sí. Pero no para mí.

Diego suspiró, se masajeó la nuca y se recostó en el asiento.

—Elena, ¿sería posible que estuviéramos un día sin discutir?

—¿Un día? *Querido esposo,* son varios los días que llevamos sin intercambiar palabra. Mira, Diego —apoyó las palmas de las manos en la mesa—: nuestro matrimonio no ha empezado con buen pie. Por mi culpa, en gran medida, lo admito. Pero intento, hasta donde alcanzo, que nuestra convivencia sea aceptable. Últimamente, sin embargo, cada vez que he querido acercarme a ti, o me has rehuido o me has marginado. ¿Por qué? ¿Qué es tan importante que te obliga a ausentarte de Los Arrayanes sin darme explicaciones? ¿Cómo crees que me encuentro ante cualquiera que pregunta por ti, sin saber a qué atenerme? Hasta la servidumbre cuchichea por los rincones. ¿Qué es lo que tramáis el cardenal y tú? ¿Por qué pasáis tanto tiempo en ese nuevo pabellón que has construido en el ala este, cerrado siempre a cal y canto?

En Diego se activó de inmediato un timbre de alarma porque conocía bien la inteligencia de Elena y ella jamás daba puntadas sin hilo. ¿Es que intuía algo? ¿Hasta qué punto? Que estuviera perturbada por las sesiones que el anciano cardenal y él pasaban recluidos en esa parte de la finca, le aceleró el pulso. ¡Si ella supiera! Hubiera dado su brazo derecho por entrar con ella allí, en lugar de hacerlo junto a Cisneros. Precisamente para Elena lo había mandado construir, una vez concertado su casamiento, fantaseando con hacerle el amor sobre...

—¿A qué vienen tantas preguntas? ¿Y por qué me hablas del nuevo pabellón? Cualquiera puede decirte qué hay dentro de esos muros. O tú misma puedes verlo, que por algo eres la señora de Los Arrayanes, si no recuerdo mal, aunque no lo seas de mi cama.

—¿Quieres que me rebaje a preguntar sobre mi propia casa y quedar como una estúpida delante de todos los sirvientes? —inquirió ella a su vez, devolviéndole el reproche—. Porque dime, ¿qué pensarían de una esposa a quien su marido omite mostrar las estancias donde vive?

—Estás desvariando.

—¿Tú crees? —se irguió ofendida—. De todos modos, no me interesa, puedes guardarte tus secretos. Si es tu guarida particular, o el cuchitril al que llevas a tus conquistas, no pienso poner los pies en él.

El ánimo de Diego, suficientemente vapuleado ya por la tensión a que estaba sometido, se encrespó. Apoyándose a su vez en la mesa se puso en pie y la encaró con el ceño fruncido. ¡Por todos los santos! ¡Qué demonios pensaba aquella mujer! Acababa de insinuarle que retozaba con otras mujeres debajo mismo de sus narices, recriminándole una actitud licenciosa que ni siquiera había osado plantearse. Y no porque él no estuviera en su derecho de buscar entretenimiento bajo las faldas de cualquier fémina, puesto que ella le negaba lo que le correspondía por derecho, sino porque se debía a ella y era con ella con quien quería gozar.

La hubiese estrangulado allí mismo.

Pero se limitó a decir:

—Pues es una sala de baño, ¿qué te parece?

Elena se quedó mirándole como una boba.

—¿Qué?

—Una sala de baño.

—¿Me tomas el pelo, Diego?

—¿Quieres comprobarlo por ti misma? —insistió él, intentando controlar el golpeteo alocado del corazón, que se le había disparado imaginando que ella consintiera en acompañarlo.

Parpadeó la muchacha, desconcertada, sin saber qué responder. Sin duda, Diego se estaba burlando de ella. ¿Dónde se había visto que se construyera una zona apartada para tales menesteres? No conocía ninguna hacienda que dispusiera de semejante novedad. Sabía, por supuesto, que ya en la época de los romanos se usaban ese tipo de reductos, y que en los países infieles eran algo habitual, pero ¿allí? ¿En una nación de miras tan estrechas, asfixiadas por hábitos intolerantes y, según ella, obsoletos, determinados por el clero?

A pesar de estar convencida de que Diego intentaba que se sofocara con una propuesta cuando menos pecaminosa, no pensaba quedar ante él como una melindrosa y le retó:

—¿Por qué no? Siempre me han interesado las experiencias nuevas.

—Y transgredir las normas.

—Sí. Eso también —repuso con una sonrisa cínica.

19

Ubaldo Andújar se persignó al acabar sus rezos y, valiéndose del respaldo del banco en el que había estado arrodillado, se incorporó con cierta dificultad. La rodilla derecha seguía molestándole a intervalos sin que ni siquiera los paños calientes de su fiel sirviente consiguieran calmar el dolor. Pero se resistía a dejar de acudir una vez al mes a rezar a la Cartuja de Santa María de Miraflores, manifestación de una promesa que había llevado a cabo en el lecho de muerte a su esposa, devota y bienhechora del conjunto monástico de estilo isabelino fundado por Juan II de Castilla.

Sus cansados ojos, afectados por unas cataratas que ya comenzaban a impedirle la visión, se alzaron una vez más hacia la bóveda estrellada del templo, paseándose después por el cenotafio del monarca y de su esposa, Isabel de Portugal. Le sobrecogió, como siempre que acudía allí, la soberbia construcción de los sepulcros de alabastro en los que se habían gastado casi 160.000 maravedíes. Él era aún un hombre joven cuando tuteló el transporte del material desde Cogolludo, a bordo de casi un centenar de carretas tiradas por bueyes, amparado por el decreto de la Cancillería real que les dispensaba de pagar portazgos o pasto para las bestias. ¡Cuánto tiempo había pasado! ¡Cuánto había cambiado España desde entonces!

Se acercó despacio, envuelto por el silencio que solo quebraba el paso acelerado de un cartujo que salía por la puerta del atrio occidental hacia el claustro. Dejó que su mano descansara sobre la cabeza de uno de los evangelistas que custodiaban el sepulcro, rezó un padrenuestro por el alma de Juan II, elevó una última plegaria al Altísimo suplicando que le guiase en su cometido, y luego se encaminó hacia el exterior, donde le aguardaba su criado.

Ya en la salida, un viento racheado que arrastraba gotas de lluvia mezcladas con hojarasca le obligó a envolverse en la capa. Echó un vistazo al patio, pero a su sirviente no se le veía por ninguna parte. Tampoco estaba el carruaje en el que habían llegado. Extrañado, con el aire colándose por debajo de su capa y fustigado por la molestia de la rodilla, se encaminó hacia la parte derecha de la construcción donde creyó escuchar el relincho de un caballo. Arreciaba la lluvia y él estaba deseoso de llegar a casa.

Ubaldo Andújar apresuró el paso al descubrir el vehículo. El cochero aguardaba, embozado en su ropa de abrigo, con el latiguillo presto a azuzar a los animales en tanto su sirviente, enfundado hasta las orejas en su desteñida capa, le abría ya la puerta. Apenas la alcanzó, una mano empujó sobre su espalda lanzándolo al interior del coche. Cayó de bruces sobre unos bultos y ni siquiera tuvo tiempo, entre la sorpresa y el topetazo, de saber qué estaba sucediendo.

Ni llegó a sospechar que los fardos sobre los que se había derrumbado eran los cuerpos de sus leales lacayos. Fue agarrado sin contemplación del cabello, echaron su cabeza hacia atrás y el filo de una daga le seccionó la yugular.

Desangrándose, tratando de bloquear con las palmas de las manos el chorro escarlata por el que se le escapaba la vida, el conde de Berlejo aún pudo orientar su mirada hacia su asesino. Sus pupilas, enturbiadas ya por la Parca, quedaron clavadas en el rostro de un hombre al que no conocía, el cual, con fría determinación, remató su faena criminal asestándole una nueva cuchillada en el pecho.

Su verdugo miró en derredor. Nadie les había visto. Empujó el cadáver al interior del vehículo, cerró la puerta y saltó al pescante, junto a su compinche, que de inmediato puso al trote a los caballos. Así, con su macabra carga, se alejaron de la Cartuja amparados por la creciente oscuridad y el ulular del viento, cuyas ráfagas, colándose entre las ramas de los árboles que flanqueaban el camino, parecían emitir lamentos.

20

El lugar no era amplio: unos cincuenta metros cuadrados distribuidos en tres salas delimitadas por columnas que enlazaban arcadas rematadas por arabescos.

Elena fue recorriendo las habitaciones despacio, magnetizada por una primorosa arquitectura cuyo suelo y paredes, de mármol rosáceo, le hicieron transportarse al fantasioso mundo de los libros que relataban las inquietudes culturales y las costumbres de otros pueblos. Las ilustraciones y dibujos que ella había visto en ciertos ejemplares, junto a su amiga Marina, no reflejaban en modo alguno el exquisito sentido de espaciosos volúmenes y líneas que ahora se desplegaban ante sus ojos.

En una de las habitaciones se habían dispuesto gradas adosadas al muro; en otra, dos bancos de media altura situados en paralelo, una mesa de aceites y bálsamos polarizaban la luz que filtraba el lucernario de la techumbre; la tercera albergaba un baño circular excavado en el suelo, donde aún no se habían desvanecido los restos de humedad reciente.

En oquedades abiertas en los muros se habían provisto toallas de lino y una adecuada profusión de velas, así como frascos de esencias.

La cúpula, toda ella abovedada, inundaba el conjunto de una calidez acogedora, potenciada por el colorido tenue de pequeñas incrustaciones de cristal coloreado.

—Puedo ordenar que lo pongan en funcionamiento, no tardará mucho —ofrecía Diego a su espalda.

Por la columna vertebral de Elena se extendió un corcoveo placentero solo de imaginarlo. De sobra sabía él cuánto la atraían las experiencias nuevas. Pero ante todo, la motivaba contravenir las estrictas normas establecidas en la sociedad para con las mujeres. Por eso había discutido tantas veces las decisiones de su padre, rigurosas e inflexibles. Por eso había bregado con su madre, una esposa entregada desde que ella tuvo uso de razón, que acató sin una objeción el rol humillante de estar sometida a cada orden marital. Por eso, sin ir más lejos, se negó a rebajarse consintiendo un matrimonio cimentado en unos acuerdos en lo que ella no había tenido ni voz ni voto, refrendado por unas leyes que otorgaban el poder absoluto al varón adjudicando a la mujer el papel de comparsa.

La invitación de su marido, morbosa para ambos, hizo que un cosquilleo de rebeldía serpenteara por su cuerpo. ¿No era cierto que en los palacios árabes las mujeres disfrutaban de salas de baño? ¿Por qué no podía gozar ella de la ostentación que se le ofrecía? Las diferencias religiosas no implicaban rechazar el esparcimiento ni privarse de la belleza de un recinto semejante. Respiró hondo, se volvió hacia Diego y asintió:

—Me gustaría, sí.

—¿Esta tarde?

—Esta tarde.

Una vez aceptado, en su fuero interno con un punto insolente, Elena pasó junto a él acariciando con la punta de los dedos la pulida superficie del muro y lo dejó a solas.

Diego se apoyó contra la pared y cerró los ojos. No podía ser que ella le perturbara tanto, pero estaba temblando. Le hubiera sido tan fácil cerrar la puerta, tomarla en sus brazos y obligarla a que se sometiera de una vez por todas a sus besos y al palpitar ingobernable de un impulso que le exigía tomarla... Pero no. Doña Camelia le había advertido, con toda la razón, que debía andarse con pies de plomo si quería reconquistar el corazón de Elena. Y él se había propuesto seducirla, no humillarla ni forzarla a que se entregara a él hasta que ella misma estuviera dispuesta.

—Paso a paso, Diego —se dijo—. Paso a paso.

Por más que se hubiera prometido actuar con calma, lo cierto era que, desde el preciso momento en que Elena dijo *sí* a su ofrecimiento, la cabeza se le iba al *hammam* perdiéndose en los juegos eróticos que podía practicar con ella dentro. Así fue transcurriendo la mañana, hasta la hora de la comida, en la que apenas se centraba en los comentarios del cardenal, hasta el punto de conseguir que doña Camelia se intrigara por sus parcas respuestas.

Elena, no.

Se veía que Elena estaba disfrutando anticipadamente del plan previsto para aquella tarde. Claro que poco imaginaba los derroteros por los que se despeñaban los pensamientos de su esposo. De haberlos intuido, habría vuelto a largarse de Los Arrayanes a toda prisa o se habría fabricado una excusa para no acercarse, ni por asomo, a la sala de baño.

Hubo momentos en que la muchacha sopesó hacer partícipe a su abuela de su aventura, pero se mordió la lengua, porque, por mucho que doña Camelia fuera una mujer de armas tomar, mentalmente muy por delante de su tiempo, cabía la posibilidad de que argumentara razones de índole moral y acabara por quitarle la idea de la cabeza, porque una cuestión era defender a capa y espada los derechos que creía justos para el sexo femenino y otra, muy distinta, dar su beneplácito a novedades de tal calibre. ¡Pero si hasta veía con no demasiados buenos ojos que utilizara ciertas vestimentas para andar por la finca o prescindiese de alguna enagua!

Imaginarse a solas en el baño turco, emulando los pasos de una princesa otomana, la satisfacía íntimamente.

No pudo descansar durante el período de siesta al que casi todo el mundo solía retirarse tras la comida, pendiente de que la avisaran. Aun así, pegó un brinco en la cama cuando oyó la suave llamada y se apresuró a dar permiso para que entraran.

—El amo dice que todo está dispuesto, señora —le dijo una criada.

—Gracias.

Desapareció la muchacha y entonces ella vaciló un tanto en abandonar el cuarto, retorciéndose las manos, indecisa por momentos. ¿Hacía bien? ¿Qué pensaría Diego de ella por prestarse a esas prácticas? Irguió el mentón, se calzó los escarpines y se echó la bata sobre los hombros. ¡Y qué demonios le importaba a ella lo que él pensara! ¿No había partido de él la idea? No veía insolencia alguna en aceptar pasar un rato en los baños junto a él, al fin y al cabo no dejaba de ser su marido.

Dada la hora, su abuela y el cardenal se encontraban en sus respectivas habitaciones y en la casa apenas había actividad, por lo que no se cruzó con nadie en los pasillos. Atravesó el zaguán echando miradas por encima del hombro y llegó a la construcción anexa a la casa con el corazón aleteando por lo excitante de la aventura. Empujó la puerta, cerró a sus espaldas y se le abrió la boca en un atisbo de sonrisa... que se convirtió en un golpe de tos cuando sus ojos, abiertos como platos, enfocaron a Diego. Él estaba sentado en uno de los bancos, ¡sin más atuendo que una toalla alrededor de las caderas!

21

A su pesar, racionalmente muy a su pesar, Elena se recreó admirando el cuerpo de Diego. Si vestido ya resultaba espléndido en su gallardía, apenas cubierto por la toalla de lino le quitaba el aliento. Había fantaseado en numerosas ocasiones con contemplarlo así en la intimidad de su alcoba, pero de eso ya hacía tiempo, cuando era una adolescente enamoradiza y bobalicona que creía en la fidelidad de los hombres. Luego, la traición de Diego con aquella criada desvergonzada, el paso del tiempo y, sobre todo, la distancia que ella misma se impuso, difuminaron sus eróticos sueños juveniles. Ahora, parada apenas cruzado el umbral del baño, tuvo plena conciencia de su debilidad azuzada por las imágenes de antaño que desfilaban de nuevo ante ella gloriosas y carnales.

Diego poseía un cuerpo fibroso, armónico, musculado y fuerte, y un rostro varonil que ella adjetivaba de impresionante. La anchura de los hombros, el espléndido trapecio de su tórax, su estrecha cintura abriéndose a unas vigorosas y largas piernas. El dorado de su piel, de esa tonalidad que a ella le gustaba. Se plasmaba así la realidad que tantas veces había visualizado en sus ensoñaciones, y tantas veces deseó acariciar.

Se dio cuenta de que estaba siendo presa de la fascinación que él ejercía, del acaloramiento que la estaba provocando, y se enfadó consigo misma por su debilidad. Por todo ello, no fue plenamente consciente del escrutinio con que Diego procesaba las variadas emociones que cruzaban por su rostro. Sus ojos ascendieron nuevamente por las piernas masculinas y se rezagaron unos segundos de más en el final de los muslos, guarecidos por la prenda que los cubría, para detenerse un instante en su pecho, donde descansaba una pequeña alhaja de oro, y en sus hombros. Coronándolos, se topó con los iris ávidos de Diego y tuvo la sensación de haber sido sorprendida, se sobresaltó y retrocedió colisionando con la puerta.

—¿Vas a ponerte a gritar ahora como una dama ultrajada y a salir corriendo, Elena?

Diego usó de su psicología para que ella reaccionara como él quería. Sabía muy bien cómo hacer que aflorara su ego. Desde pequeños había seguido esa pauta: arrojarle el guante del desafío que ella nunca desdeñaba.

Elena lo supo observando su dorada mirada, dándose cuenta de que el muy mezquino volvía a jugar con ventaja. Pero no pensaba darle el triunfo sin batalla. Sus labios comenzaron a estirarse hasta formar una sonrisa reivindicativa que él ya conocía, y Diego, que había estado esperando casualmente eso —y no que ella saliera de allí con cajas destempladas—, tragó el nudo que se le había formado en la garganta. Si entendía algo a la mujer que había desposado, ella acababa de aceptar la justa. Ni se movió de donde estaba, aunque el corazón le bombeaba con tal fuerza que le dolía el pecho.

—Te gustaría, ¿verdad? —le provocó Elena a su vez, dejando la bata a un lado y emprendiéndola con los cordones del corpiño—. ¡Vamos, Diego! Hay láminas médicas que ilustran hasta los órganos sexuales del varón. ¡Como para sorprenderme ante un cuerpo más o menos bien formado!

—Así que, según tú, ¿estoy bien formado? —replicó, irónico, sabedor que ella no podía negar que se le habían arrebolado las mejillas.

—¡Mira que eres petulante! —acabó de desatarse la prenda, que dejó con una parsimonia estudiada sobre uno de los bancos.

A Diego se le atascó el aire en los pulmones y se le dilataron las pupilas vislumbrando el velado tono oscuro de las cumbres de sus pechos bajo la suave tela de la camisilla. Ya no estaba tan seguro de poder dominarse y atenerse al plan que se había trazado, potencialmente delicioso, que se estaba convirtiendo en el inicio de una tortura. Se clavó las uñas en las palmas de las manos para permanecer impasible. No pensaba tocar ni un pelo a Elena si ella lo rechazaba y, si eso sucedía, lo iba a lamentar sin remedio porque le dejaría destrozado.

—¿Puedes ayudarme con la ropa, «esposo»? —le pidió ella, melosa.

Elena le daba la espalda mirándole por encima del hombro, recreándose burlona.

¡Condenada mujer! Era más artera que unos enemigos emboscados. Unas cuantas mujeres como ella y España hubiera podido prescindir de las tropas.

Caminó hacia ella para proceder con el servicio solicitado, sumamente agradable por otra parte, pero le temblaron las manos deshaciendo las lazadas que ajustaban la enagua a la angosta cintura de Elena, como si de un imberbe inexperto en semejantes menesteres se tratara.

Con un gracioso golpe de cadera, Elena dejó que la prenda cayese al suelo y se volvió para encararlo. Se oscurecieron los ojos masculinos explorando con codicia la silueta del cuerpo por el que ardía febril. Tras la prenda interior, una camisola liviana, corta y semitransparente, quedaban al descubierto sus largas y esbeltas piernas hasta medio muslo, llevándolo casi al borde del paro cardíaco.

—¿No me vas a proporcionar una toalla? —le preguntó mirando significativamente la que llevaba él alrededor de las caderas—. A ser posible, algo más grande que la tuya.

Dócilmente, Diego recogió sus ropas para guardarlas en un baúl, al otro lado del cuarto, junto a las suyas. Tomó luego un lienzo blanquísimo y suave y se lo puso en las manos. Ella se lo pasó bajo los brazos, se lo ciñó, y así, con deliberada parsimonia, atrayendo toda la atención varonil, se bajó las hombreras de la camisola haciendo que resbalaran por su piel, provocando la respiración acelerada de su esposo. Con la prenda ya floja, metió la mano por debajo de la toalla y tiró de ella permitiendo que llegara al suelo en un siseo voluptuoso.

—Bueno —arqueó sus bien delineadas cejas—, ¿cómo funciona esto?

Acallando el oleaje que lo zarandeaba por dentro, Diego tiró de un cordón que pendía del muro y volvió a ocupar su lugar inicial. De inmediato, empezó a fluir agua en la bañera acompañándose de un vapor caliente, emanado de orificios hábilmente integrados en las paredes de mármol, que se fue expandiendo empañando el recinto y envolviendo a ambos en una bruma densa.

Entusiasmada por la experiencia, y tratando a la vez de disimular el inevitable sonrojo que le acometía por mostrarse así ante él, la joven condesa se acomodó en un banco, cerró los ojos y dejó que el siseo del aire, el goteo relajante del agua y la humedad caliente la reconfortasen. Pensaba disfrutar de aquella modalidad de baño por mucho que se pudiera cuestionar su proceder, que asoció en el acto a su abuela.

A Diego le fue imposible relajarse. Se suponía que había mandado construir el pabellón para eso, pero ¡maldito fuera!, si no continuaba tenso teniendo frente a él a la mujer por la que suspiraba con mayor ímpetu cada día, apenas cubierta con un lienzo, desinhibida, sin rubor, disfrutando sin complejos como si se encontrara a solas. Debía de estar envejeciendo para someterse a ese juego infame que le colocaba en el disparadero físico. Bajo su propia toalla, su excitación se mantenía desde que ella entrara, sometiendo a presión sus testículos.

Hizo un esfuerzo por sosegarse, cerró también los ojos y propulsó su mente hacia los vericuetos políticos que ponían en riesgo el futuro de España y que él debía evitar, dejando que el vapor se le colara por las fosas nasales y expeliéndolo lentamente por la boca. No le sirvió de nada. A la imagen del infante Fernando se superponía la de Elena medio desnuda, como un ariete que minaba sus defensas.

Tampoco Elena estaba tan tranquila como aparentaba, por mucho que intentara dar la imagen de mujer mundana que estaba de vuelta de todo. Muy al contrario, tras sus párpados cerrados no dejaba de aparecérsele Diego envuelto en la toalla. ¿Cómo era posible que el cuerpo de su marido fuese tan hermoso? Mil alfileres le punzaban las palmas de las manos porque todas las fibras de su ser le urgían a tocar su piel, a enredar sus dedos en la suave línea de ensortijado vello del color del bronce que formaba una T entre sus tetillas, deslizándose pecaminosamente por su estómago hasta perderse bajo el lino que le cubría las caderas.

El vaho humedecía el cabello de Elena ocasionando que algunas hebras doradas le cayeran sobre el rostro y los hombros. Retiró un mechón con gesto lánguido, a la vez que se enjugaba con la punta de la lengua las gotitas de humedad que se le habían formado en los labios. El gesto, completamente inocente, provocó, sin embargo, que la ya notable excitación de Diego aumentara, haciéndole removerse.

Por unos minutos, permanecieron así, callados, absorbiendo el calor húmedo que cubría sus cuerpos. Cada uno dolorosamente consciente de la cercanía del otro. Cada uno intentando aplacar su naturaleza alterada.

Al cabo de un rato, el vaho se fue diluyendo hasta desaparecer. Elena abrió los ojos y se encontró con la mano tendida de Diego, de pie frente a ella, tan cerca que con solo alargar la suya hubiera podido arrancar la condenada toalla que cubría su masculinidad. Parpadeó, percibiendo que se sonrojaba por dejar ir tan lejos su pensamiento.

—Ahora viene el baño.

—¿Qué?

—Hay que meterse en el agua, señora mía —dijo él con una sonrisa que más pareció la mueca de alguien que pena consigo mismo.

22

Desvió ella los ojos hacia la pila. En el fondo, las figuras de dos sirenas perfiladas por diminutos azulejos de colores parecían burlarse de sus dudas. Cogió la mano que su esposo le tendía, se levantó y entró en el baño. Una exclamación surgió de sus labios al meter un pie.

—¡Está fría!

—De eso se trata —afirmó él instándola a continuar con un leve empujoncito—. Después de que el vapor ha abierto los poros, un baño frío reactiva la circulación de la sangre.

«Maldita la falta que hace que nada me reactive la sangre, si la tengo galopando como loca por las venas», pensó Elena.

Acabó por sumergirse en el agua, gimoteando sin pausa por la temperatura, hasta sentarse en el baño. Por supuesto, sin deshacerse de la toalla, única protección de su pudor. No fue buena idea porque el lino, al empaparse, trasmitió a su cuerpo mayor sensación de frío. Se le dilataron las pupilas al ver que Diego echaba mano a su toalla. ¡No pensaría quitársela! ¿O sí? El ángel del recato le siseó en un oído que no era decente mirarlo así, completamente desnudo; el diablo de la desvergüenza le murmuraba en el otro que disfrutara de lo que más deseaba en el mundo.

Diego, al que no le pasó inadvertida su mirada, mezcla de pánico y deseo, optó por imitarla y entró en la bañera manteniendo su toalla anudada. Ella encogió de inmediato las piernas cuando él se sentó. La tina no era lo suficientemente grande como para que cupieran ambos sin rozarse, ¡y por nada quería que ocurriera tal cosa! ¿O sí lo quería y trataba de evitarlo?

Comoquiera que ella empezara a tiritar al cabo de un momento, Diego se apresuró a ponerse en pie, salir del baño y tenderle la mano ofreciéndole su ayuda.

—¿Y ahora? —preguntó ella, a quien le castañeteaban los dientes, sujetando la empapada toalla contra su cuerpo, si bien reconocía que el agua fría le había sentado estupendamente para templar sus nervios.

—Ahora viene el masaje, por supuesto... si es que te atreves.

Ella desvió la vista hacia los bancos gemelos del otro cuarto. ¿Masaje? En más de una ocasión su criada personal le había aplicado alguno, en especial cuando se excedía en sus cabalgadas, para desentumecer los músculos de las piernas y la espalda. Pero ni estaba en su cuarto ni Diego era su sirviente, ahí radicaba el problema. Si permitía que la tocase, solo que la tocase... Lo miró a los ojos. Allí estaba la provocación que lograba intimidarla y azuzarla al mismo tiempo. Allí estaba él, fanfarrón y desafiante. ¿Por qué condenada razón no se iba de allí dejándole con un palmo de narices? ¿Por qué había aceptado entrar en el baño? Era un juego de voluntades en toda regla en el que ella no estaba demasiado segura de poder ganar, pero si su esposo creía que podía apabullarla es que no la conocía lo suficiente.

—Tengo frío.

Por toda respuesta, Diego se acercó a la pila de toallas secas y tomó tres. Estiró una sobre la pulida superficie de una de las mesas, enrolló otra a modo de almohada y le entregó la última.

—Vuélvete, por favor —le rogó entonces ella.

Elena se maldijo tan pronto se lo hubo pedido, porque él se echó a reír con actitud de suficiencia, y ella supo entender que bailaba al ritmo que marcaba Diego, que, obediente, le dio la espalda como pedía, para que pasara en un santiamén de estar desnuda a envolverse en la calidez del lino seco.

—¿Estás visible ya?

—Lo estoy.

Diego se volvió hacia ella, estiró una mano para colocarle una hebra de cabello tras la oreja y le pidió:

—Túmbate boca abajo.

Elena lo hizo sin rechistar. No porque le apeteciera, sino porque las rodillas le flaqueaban y no quería dar la impresión de ser una mema derrumbándose ante él. Esperó, con el cuerpo tenso y la sangre galopando desenfrenada en sus venas, el contacto de las manos de Diego sobre su cuerpo, como el reo que espera la hoja del verdugo. «No te mientas a ti misma», le recriminó al punto su naturaleza carnal. Aguardaba el roce de los dedos de su esposo con ansia. Era una rara contradicción.

No debería haber permitido que Diego la arrastrase al salón de aguas. Si creyó que podría salir airosa de la batalla es que no había calibrado bien ni la filosofía ni el proceder masculinos y, desde luego, tampoco la llamada libidinosa de su propio organismo. Era muy razonable que allí, a solas, piel con piel, el apetito de su marido pusiera a prueba su grado de implicación en sus obligaciones maritales. Si no fuera así —ojalá no lo fuese—, lo recordaría como un pasaje erótico fallido que, probablemente, lamentaría después en sus noches solitarias. Lo que necesitaba responder era qué quería ella en realidad porque le deseaba tanto como mantenerlo alejado. Llegada a ese punto, se prometió resistir para no caer más en sus argucias.

De espaldas a ella, Diego se desprendía de su toalla empapada como antes lo hiciera Elena. ¡Virgen de la Macarena! ¡Qué nalgas tenía! No había modo de apartar la vista de ellas, así que Elena, que había vuelto la cabeza justo cuando él se desnudaba, optó por fingir un ataque de tos y enterró la cara en la almohada sintiendo el sofoco en las mejillas.

Él no se lo creyó. ¡Cotilla embaucadora! No le cupo duda de que ella le había visto a placer. Muy bien. Si como suponía, Elena seguía sintiendo algo por él, le importaba un pepino mostrarse ante ella en toda su humanidad sin vergüenza alguna. Que ella siguiera allí era el primer paso para un acercamiento. Como si no se hubiera dado cuenta, simuló hurgar entre los frascos y luego eligió uno de aceite perfumado.

El aroma, oleaginoso y mentolado, se expandió inmediatamente por el recinto al abrir la redoma. Diego se untó las palmas de las manos y acercó su cabeza a la de ella susurrándole:

—¿Puedo?

«¡No! ¡Sí!», batallaron en los oídos de Elena el ángel del pudor y el diablo del deseo, en una lucha muy breve que solo podía ganar su cuerpo joven. Asintió, porque su sangre se lo estaba pidiendo a gritos.

Ronroneó satisfecha al contacto de las manos masculinas sobre sus hombros, y la suave fragancia inundó sus fosas nasales. Le dejó hacer, aunque se mantuvo rígida.

—Relájate, cariño, relájate.

¡Sería necio! ¿Qué mujer podría hacerlo en sus circunstancias, con las manos deseadas sobre ella? Sin duda, se burlaba. Aun así, puso todo su empeño en aflojar sus tensos músculos, olvidándose de que era él quién la tocaba, desechando de su mente su propia imagen tumbada sobre la camilla y Diego a su lado, apenas cubierto, extendiendo el aceite balsámico sobre sus hombros, sobre su espalda, hasta casi el inicio de las nalgas. Bajando delicadamente la toalla para tener un mejor acceso a la zona lumbar... No, no era sencillo relajarse cuando lo que más deseaba era volverse, quitarle la maldita toalla y envolverlo en sus brazos. Resistió la tentación con todas sus fuerzas con la creencia de que no conseguiría tranquilizarse. Sin embargo, a medida que avanzaba el masaje, Elena comenzó a ser víctima de una flacidez maravillosa desplegándose por todo su cuerpo.

De tanto en tanto, Diego se paraba para untarse las manos de aceite, haciendo esfuerzos titánicos para que no le temblaran.

Ahora, desde los dedos de los pies, ascendiendo luego a

lo largo de sus piernas, hasta las corvas, las friegas inducían a Elena a una placidez anestesiante, completamente entregada ya a la deliciosa sensación, y hasta comenzaba a amodorrarse.

Se encontraba en el séptimo cielo cuando recibió una palmada en el trasero que la sorprendió y la devolvió a la realidad.

—Arriba, perezosa.

Ella se volvió para mirarlo, sujetando la tela contra su pecho, y se despejó en el acto. Diego le sonreía mientras se limpiaba las manos. ¡Dios, qué guapo era! Con el cabello húmedo y los ojos con una chispa brillante, retornaba a ella la imagen del pícaro muchacho de antaño, compañero suyo de travesuras. Y ella, altiva pero imbécil, se resistía a caer en sus brazos. ¿Qué tenía de malo si se le entregaba allí y ahora? Estaban casados y... Sí, estaban casados, ahí radicaba el problema. No porque ella hubiera accedido libremente, sino porque se lo habían impuesto. Se irritó con solo recordarlo. Se levantó, acercándose al baúl en el que él guardase sus ropas. Pero antes de abrirlo quiso poner la guinda al pastel que Diego había horneado y, con sorna, le preguntó:

—¿Se supone que ahora debería yo complacerte de igual modo?

La nuez masculina se convulsionó y los ojos de Diego se ensombrecieron. Imaginar por un segundo que ella pudiera agasajarle con un masaje lo dejó turbado. No apartó los ojos de los de Elena y su voz, al responder, sonó casi amenazante.

—No, si quieres salir del *hammam* tan virgen como entraste.

A Elena no le hizo falta más, la mención a su virginidad puso alas en sus pies. Recogió sus ropas, se puso la bata echando el resto sobre un brazo de cualquier manera y escapó de allí como cervatillo al que persiguieran perros de caza.

23

Froilán Montero no las tenía todas consigo mientras aguardaba, amparándose de la llovizna bajo los soportales de la calle de la Costanilla, a escasos metros de uno de los ramales del río Esgueva. La nota recibida le quemaba en el bolsillo secreto de su jubón de cuero, porque no quería tener nada más que ver con el hombre que se la había hecho llegar. Así y todo, no le quedaba más remedio que entrevistarse con él.

En las siluetas de los escasos viandantes que atravesaban la calle buscó afanosamente al sujeto, pero se retrasaba. Por fin, a punto ya de abandonar la espera regresando por donde había venido, se fijó en el renqueante caminar del tipo encapuchado que llegaba desde la plaza del Ochavo. Salió del soportal, le hizo señas, volvió a guarecerse en la penumbra y se caló aún más el ala del sombrero.

Apenas unirse a él, Ginés de Parra le saludó con una breve inclinación de cabeza y, sin dilación, buscó entre sus ropas la bolsa que le habían encomendado entregar, tendiéndosela.

—De parte de mi amo, por vuestros servicios. Obtendréis otra con igual importe si me mantenéis al tanto de los pasos de vuestra señora.

El fiel servidor de la viuda de Fernando el Católico arqueó una ceja echando una mirada poco receptiva hacia la bolsa, sin ánimo alguno de hacerse con ella, estirándose sus labios en una mueca despectiva. Escasamente flemático, se diría de él que toleraba mal una actitud que conllevara cualquier grado de insolencia. Para él, aquella lo era. Y de calibre.

—Nada pedí por la información que os facilité y nada quiero por una posterior... porque no habrá ninguna más.

Los penetrantes ojos de su interlocutor se achicaron por la sorpresa, porque el sirviente de Germana de Foix ni siquiera se había molestado en saber la generosa cantidad con que se le remuneraba. Le tendió de nuevo el dinero.

—Es vuestro.

—No lo quiero.

—Pero...

—Si me puse en contacto con vos, Parra, fue para proteger a mi señora, no para traicionarla.

—Dudo mucho que ella juzgase por el mismo rasero vuestro proceder dejándome saber el contenido de la carta. Calibrad bien, porque, de enterarse, caeríais en desgracia. Aprovechad pues vuestra buena suerte y tomad lo que os doy.

—No habéis entendido nada, ¿verdad? —Elevó ligeramente la voz—. Mi único propósito ha sido... —Guardó silencio hasta que la pareja de hombres que pasó cerca de ellos desapareció calle abajo—. Bueno, no tengo que daros explicaciones de mi proceder. Lo único que me interesa es que vuestro amo cumpla la promesa que vos me hicisteis: ella es intocable.

—¿Intrigáis a sus espaldas para protegerla?

—Mataría por ella —susurró con voz amenazante—. No lo olvidéis.

—Así que os importa hasta ese punto —repuso Parra, sarcástico, mirándole de arriba abajo.

—Hasta ese punto.

Ginés se encogió de hombros guardándose la bolsa. No era de su incumbencia si aquel estúpido despreciaba el dinero, ya daría él buena cuenta del mismo, porque, por descontado, no tenía intención de devolvérselo al vizconde. Dio media vuelta dispuesto a marcharse, pero la mano de Montero le retuvo del brazo.

—Ella es intocable, ¿ha quedado claro? —repitió.

Parra asintió, dio un tirón para soltarse y se alejó bajo la lluvia, perdiéndose en la negrura que ya cubría la ciudad. El hombre de confianza de Germana de Foix esperó unos instantes y luego tomó su propio camino, en sentido contrario al que guiara al sicario del vizconde de Arend.

A escasos metros, la mujer que se cubría la cabeza con la capucha de la capa se separó del muro. La mortecina luz del candelabro que se colaba a través de los cristales de la casa de la que acababa de salir un momento antes iluminó un rostro enjuto de ceño fruncido. No había podido escuchar la breve conversación, pero le escamaba la presencia de Froilán con un sujeto de aspecto tan siniestro y caminar tan inseguro.

Su desconfianza cobró tamaño cuando llegó a la mansión, llevando bajo el brazo la caja de dulces por la que se había visto obligada a salir, y se encontró a doña Germana en su estudio, pálida como un cadáver, mirando con ojos extraviados un pergamino que estrujaba entre sus dedos. Al darse cuenta de su presencia la dama alzó la vista, su mano pareció perder fuerza y el documento cayó al suelo.

—Han asesinado al conde de Beltejo —murmuró apenas.

A Gabina se le quebró la expresión por el asombro. Se apresuró a servir un dedo del primer licor fuerte que encontró a mano e hizo beber a su señora, que no reaccionaba, unida como había estado tanto tiempo a Ubaldo Andújar por una sincera amistad. Dejó que se recuperara antes de preguntar:

—¿Cómo ha sido, mi señora?

—Se ha encontrado su carruaje en un barranco. Él y los dos criados que lo acompañaban han sido apuñalados —contestó conmocionada.

—Lo lamento. Sé cuánto apreciabais al conde, señora. Ahora, tal vez, hagáis caso a mis humildes consejos. El conde tenía enemigos y vos deberíais desvincularos definitivamente de cualquier relación con quienes apoyaban sus propuestas.

—Nada tengo que ver con ellas, lo sabes.

—Así y todo, es peligroso.

—Puede que se haya tratado de un robo. Su abogado dice —señaló el papel—, que ya está en marcha una investigación.

—Y ¿qué van a sacar en claro? No es el primero ni será el último al que quitan la vida unos desalmados que harían cualquier cosa por sobrevivir en estos tiempos de penuria.

—El cochero tardó aún unos minutos en morir después de que los encontraran.

—¿Pudo hablar, entonces? ¿Dijo algo que arroje luz a tan infame crimen?

—Solo que fueron atacados por dos hombres y que uno de ellos cojeaba.

A Gabina le sobrevino un escalofrío pavoroso. Abrió la boca para decir algo pero la cerró de inmediato porque llamaron a la puerta. A la conformidad de doña Germana, hizo acto de presencia Montero, que, tras el correspondiente saludo inclinando la cabeza ante la dama, depositó sobre la mesa del despacho un paquete: el manto que la joven viuda había mandado bordar en honor a la imagen de Nuestra Señora del Pino, en el convento de San Pablo.

Tan pronto hubo salido Montero, Gabina echó la llave a la puerta del estudio, se postró de hinojos ante doña Germana, muy extrañada por su proceder, depositó sus manos entre las de su joven ama y dijo en tono confidencial:

—Mi señora, he de contaros algo.

24

Las propiedades de los Bellaste abarcaban tierras de regadío y secano, pastizales, prados para la alimentación del ganado, monte bajo y una extensa zona boscosa, amén del olivar. Característica común a las familias de cuna y solera de esa España de la nobleza a principios del siglo XVI.

Elena siempre había disfrutado de sus veranos en Los Arrayanes, perdiéndose entre los robledales, aspirando el perfume de la lavanda o siguiendo el vuelo de las cigüeñas. En más de una ocasión, Diego la había llevado a observar a las águilas y a los buitres negros que se refugiaban o anidaban en la sierra extremeña.

Atrás habían quedado aquellas excursiones presididas por el buen humor, los secretos infantiles y la camaradería. Lejos de olvidarlas, ciertas vivencias de la niñez no se marginan nunca y Elena se recreaba recordando cómo disfrutaban de esa libertad que añoró tanto mientras estudiaba, lejos de Trujillo. Por eso se encontró gratamente sorprendida por una invitación tempranera de Diego a que lo acompañase aquella mañana.

—El señor conde dice que se ponga ropa de faena, mi señora —le indicó una criada tras despertarla—. Aguarda en el comedor.

Medio adormilada, se levantó para descorrer del todo las pesadas cortinas. Su complacencia se esfumó viendo la escasa claridad. ¡Por Dios! Ella solía comenzar con sus labores a buena hora, pero es que apenas había amanecido. ¿Y Diego le pedía que se vistiera con ropa de faena? ¿Qué estaba tramando ahora? Bostezó y regresó a la cama, con agujas heladas traspasando sus pies descalzos al pisar las baldosas del suelo. ¡Que se fuera a paseo! Si quería hacer una excursión a esas horas, que la hiciera solo. Había dormido poco y mal, rememorando una y otra vez su encuentro en la sala de baños y sintiendo el calor de las manos de Diego paseándose por su cuerpo. Seguía perturbada por la sensual experiencia y necesitaba serenar su espíritu antes de volver a tenerlo cara a cara o estaría irremediablemente perdida. No podía bajar la guardia si quería ganar aquella guerra de voluntades. Dejarse seducir por él, y estaba claro que lo intentaba el muy bellaco, no entraba en sus planes. Por eso tenía que evitarle. Porque, además, seguía gravitando sobre Diego la sombra de la sospecha, aún tenía que explicarle su papel en la presunta conjura.

Sin embargo, de nuevo al abrigo de las mantas, se censuraba a sí misma por rechazar su compañía, un contrasentido porque le criticaba si se ausentaba o se recluía con Cisneros, y ahora que se dedicaba a ella le rehuía. «Aclárate, Elena», se dijo.

Ensimismada en sus pensamientos, unos golpes recios en la puerta la sobresaltaron. Sin que diera su permiso esta se abrió, asomando apenas la cabeza de Diego tras ella.

—¿Puedo entrar?

—¡No! —Elena se subió las mantas hasta el cuello. Podía resultar una actitud manifiestamente puntillosa, pero detestaba darle otra oportunidad para acalorarla permitiéndole entrar en el cuarto—. Bajo ahora mismo.

Como si él no la hubiera escuchado, se coló dentro. Sin detenerse en ella se fue directo al armario, lo abrió y comenzó a hurgar entre sus ropas. Tardó unos segundos en elegir lo que le pareció oportuno, lo lanzó a los pies de la cama y apremió:

—¡Arriba, querida esposa! Tenemos trabajo que hacer.

—Estás loco. Ni las gallinas están despiertas a esta hora.

Diego, ya con la mano en el picaporte de la puerta, se volvió hacia ella.

—¿Qué han hecho de ti las monjas que te educaron? Hace tiempo te levantabas incluso antes que yo. ¿No será que la vida de casada te ha convertido en una holgazana?

—No. Si acaso, en una persona un poco más sensata.

—¡Ja!

—No así tú, que no has desterrado tus maneras de gañán. ¿O entras así en todos los cuartos?

—Déjate de menudencias. Quiero que cabalgues conmigo a La Solana.

—¡Pues mira qué bien! Por mí, ya estás tardado en largarte solo. Yo tengo otros proyectos, así que hazte acompañar de uno de los aparceros.

Él se acercó a la cama, tomó asiento sin importarle la mirada reticente de Elena y empezó a juguetear con uno de los pies femeninos que se adivinaban bajo la colcha, que ella retiró en el acto pero cuyo gesto le transmitió una oleada de proximidad estimulante.

—Si continúas en la cama —le dijo Diego, muy serio—, y no te levantas de inmediato, voy a pensar que me estás invitando a compartir tu lecho.

—No se ha hecho la miel para la boca del asno, «cariño».

Diego se echó a reír, pleno de humor.

—Si no haces ejercicio, te pondrás gorda.

—¿Gorda, yo?

—Acabarás como doña Petra.

Elena escondió una sonrisa tras las mantas. ¡Si sería bribón! Compararla con la matrona que se encargaba de la limpieza de Santa María la Mayor, de quien se decía que era más fácil saltarla por encima que rodearla. Pero la broma y el tono distendido de él, sin imposiciones, la animaron.

—Dame cinco minutos.

—Cuatro. Ni uno más —concedió el conde un instante antes de levantarse, acercarse al cabecero e inclinarse sobre ella para atrapar sus labios.

Fue un beso breve pero intenso, sensual y apasionado al que Elena respondió aparcando toda reserva, relegando las limitaciones que ella misma se imponía y las sombras de duda, entregándose por entero al placer que suponía el contacto de sus bocas. Al separarse, las miradas de ambos destellaban: en él, rebosante de deseo; en ella, nublada por la frugalidad de un instante íntimamente postergado.

Se irguió Diego, tiró del borde de su justillo y carraspeó, incómodo por poner al descubierto el peso de su pasión contenida hacia Elena. Le apetecía un cuerno salir del cuarto, cabalgar por las tierras y, en definitiva, todo lo que no fuese estar allí, con ella, sin más límites que el que ellos se impusieran. Lo que quería realmente era quedarse a su lado, meterse en su cama y hacerle el amor hasta saciarse de ella y con ella, si es que era posible aplacar el hambre que tenía de Elena. Lo que quería era seducirla hasta que se doblegara, hasta escucharle decir que parara mientras respondía a sus caricias. Pero no quería apresurarse.

—Te quedan tres minutos —dijo antes de salir—. Date prisa, tengo un regalo para ti.

Elena apenas esperó a que se cerrase la puerta. Salió del lecho, se lavó cara y brazos en el aguamanil y echó mano a la ropa dispuesta sobre el colchón. Arqueó una ceja: su falda de montar. ¡Ajá! ¿Así que su amantísimo esposo empezaba a pasar por el aro? Acompañó la inusual prenda con un corpiño de cuero, botas altas y una chaqueta gruesa, se recogió el largo cabello en una simple trenza y bajó al comedor saltando los escalones de dos en dos, preguntándose de qué regalo estaría hablando Diego.

Él, mientras tanto, había servido dos tazas de leche, que tomaron casi sin hablar, y dispuesto un par de bocadillos, que envolvió en sendas servilletas.

«Adiós esta mañana a las tostadas con mantequilla y a los riquísimos bollos horneados por Gloria», suspiró hondo la joven. Diego no bromeaba en cuanto a los presuntos kilos de más: simplemente, había decidido matarla de hambre.

Se le volatilizó todo pensamiento en cuanto salió al pa-

161

tio para dar paso a una expresión de incredulidad. Junto al brioso caballo de Diego, *Hades* la saludó con un alegre relincho y volvió grupas, pavoneándose ufano ante ella de la nueva silla de montar colocada sobre su lomo. ¡Una silla masculina! Elena se quedó sin habla. Sus ojos, relucientes de emoción, se fueron hasta los de Diego. Él le hizo un guiño. Alargó Elena su mano, pasándola por la suavidad del cuero ribeteado, los estribos repujados en plata, el cincho de algodón trenzado.

—¿Es mía o es prestada?

—Tuya. O más bien de tu caballo —repuso Diego, complacido por la no disimulada emoción de su esposa—. No sé yo si vamos a conseguir quitársela cuando regresemos, da la impresión de ser un animal presuntuoso.

Enternecida por el detalle, un regalo propio de una amazona real, y sobre todo porque representaba la aceptación plena de su marido a que adoptase el hábito de montar a horcajadas, como hiciera cualquier hombre y como a ella le gustaba, Elena se le acercó, se aupó sobre la punta de sus botas y besó dulcemente sus labios. Al segundo siguiente él rodeaba su talle y la atraía hacia su pecho con un brazo firme, aplicándose a su boca, que degustó codicioso provocado por la acogida anhelante de Elena, manifiestamente receptiva. Pero seguía sin ser el momento y el lugar, así lo entendieron ambos, que se separaron.

Cruzando los dedos a modo de estribo, él la ayudó a montar. Luego, saltó a lomos de su caballo, taconeó con suavidad sus flancos, y con Elena tras él, al paso, atravesaron el patio, cruzaron las cancelas y cabalgaron como lo hicieran tantas veces, uno al lado del otro, hacia campo abierto.

Las sorpresas, sin embargo, no acabaron para Elena con la nueva silla de montar, porque, ya en tierras de labor, tras una buena galopada, Diego puso pie a tierra, la ayudó a desmontar, inspeccionó el suelo y recabó después su opinión.

—¿Crees que deberíamos dejarlas en barbecho?

Ella hincó una rodilla en el suelo, atrapó un puñado de tierra tanteándola, dejándola escapar entre los dedos, y observó con mirada crítica las hectáreas que se extendían ante ella. Se levantó, se limpió la mano en la falda y le dijo:

—Un barbecho después de arar para eliminar las malas hierbas, que, de paso, podrían servir de abono.

—¿Un año o dos?

Elena levantó un terrón con la punta de su bota, volviendo a pisarlo luego. Le sorprendía y a la vez le agradaba en grado sumo que su esposo admitiera, implícitamente, que ella estaba en condiciones de administrar una hacienda.

—La tierra no parece haber perdido demasiado nutriente y conserva cierta humedad. Un año sería suficiente, creo yo.

—Así se hará. ¿Te apetece que nos acerquemos hasta el río?

—Siempre que me pueda comer uno de esos bocadillos que has metido en tu alforja. Estoy famélica.

—Acabarás como doña Petra, definitivamente.

Rieron ambos y Elena hizo amago de golpearle, con la jovial camaradería de antaño. Montó él a caballo poniendo al animal al galope echando miradas atrás por encima del hombro. Elena lo siguió sin prisas, deleitándose del aroma a tierra mojada y de la visión relajante del lejano horizonte rasgado de hebras cárdenas, en el que un mortecino sol peleaba por abrirse camino entre algodones de nubes.

Recorrieron caminos mientras Diego le iba señalando algún nuevo molino de agua, un lavadero que no existía hacía años, una fábrica de tejas de reciente construcción. El paseo fue un regalo para los sentidos de la joven, aunque el auténtico obsequio era que Diego le hubiese pedido su parecer sobre sus tierras, porque significaba que tenía sus opiniones en cuenta. Lo valoró en su justa medida. No por eso olvidaba la sospecha que aún aleteaba en su cabeza, pero era cierto que aquella se disipaba según pasaban los días. Se había repetido una y otra vez que su corazón, ese que latía por su esposo aunque lo enmascarara, no podía palpitar por un traidor. Nada había conseguido averiguar sobre el asunto, hasta el punto de convencerse de haber interpretado erróneamente la conversación de Diego con Cisneros. Diego había sido siempre un alma noble, se le hacía muy cuesta arriba imaginar que se hubiera maleado hasta ese nivel, si bien era cierto que su modo de proceder daba pie a pensar que andaban tras algo, cuando menos, nebuloso. Y ella necesitaba saber de qué se trataba. ¿A qué tantos emisarios yendo y viniendo? ¿Por qué con frecuencia veía cabizbajo a Diego? ¿Qué hacía encerrándose en su despacho con el cardenal cada vez que le llegaban noticias de fuera de Los Arrayanes?

Relegó sus suspicacias atendiendo la llamada de su esposo en la distancia y puso a *Hades* al galope, haciéndose el firme propósito de alejar de su espíritu todo aquello que no fuese el disfrute de ese día.

Cuando regresaron, con el tiempo justo de unirse a la comida, ambos estaban sudorosos y sucios de polvo, pero con un ánimo distendido y ademanes de cercanía.

A doña Camelia, que fue la única que les pilló entrando a hurtadillas, riendo como chiquillos, no le cupo duda: Diego estaba reconquistando el corazón de su nieta.

25

Froilán Montero dejó caer la cabeza sobre su pecho, esforzándose por inhalar aire. Los golpes habían conseguido que perdiera la consciencia un par de veces, con efectos visibles en su cara: una ceja partida, un pómulo amoratado, costrones de sangre reseca en su labio tumefacto, colgando su cuerpo laxo por las muñecas en carne viva debido a las cuerdas atadas a la viga.

El sujeto que le golpeaba sin miramiento, regodeándose en su trabajo, permitió que recuperase el resuello un momento para después clavarle de nuevo el puño en un costado, haciendo de la paliza un calvario.

—Quiero nombres, Froilán —oyó la voz inmisericorde de Germana de Foix más allá de su torturador.

—Mi señora, yo...

—¡Nombres! —cortó ella salvando la distancia que les separaba para tomarle del cabello, enrabietada, alzar su cabeza y obligarle a que la mirara de frente—. Habla y puede, solo puede, que te deje vivir.

El dolor y el miedo atenazaban la garganta de Montero. Desde que dos guardias, sin explicación alguna, le bajasen a rastras hasta el sótano, lo atasen y comenzaran a aporrearlo, no había cesado de preguntarse las causas que le habían llevado a tan lamentable situación. No tuvo que esperar demasiado para obtener respuesta, solo hasta que se personó su ama y señora en los subterráneos de la mansión. Germana no se anduvo con subterfugios: le preguntó por el hombre con el que se había entrevistado y sobre el asesinato del conde de Beltejo.

La noticia del crimen, del que nada sabía, pilló a Montero absolutamente por sorpresa. Fue entonces cuando empezó a tomar conciencia de que su proceder, ansiando el bien para su señora, había acabado, por razones que no acertaba a ver, volviéndose contra él. Incluso ahora, desvalido, a su merced y sin vía de escape, se negó en un principio a facilitar la información que se le exigía; si delataba a Parra y al hombre para quien trabajaba el sicario, podrían tomar represalias contra ella. Sin embargo, tras una hora de tormento, apenas le quedaban fuerzas para resistirse.

Germana le soltó con un gesto de repulsión, limpiándose la mano con la falda, como si acabara de tocar a una alimaña.

—Continúa —ordenó al carcelero, retirándose unos pasos.

Otra tanda de mazazos, con más saña si cabe que la anterior, acabó por derrumbar a Montero, que, escupiendo sangre por la boca, confesó:

—Ginés de Parra.

—¿A las órdenes de quién sirve?

—A las de... a las del vizconde de Arend —claudicó ya

entregado—. ¡Lo hice por vos, mi señora! ¡Por vos! Si le hice saber de vuestra carta fue por...

—¡Silencio!

Los ojos de Germana fulguraron en la penumbra del sótano como dos faros incandescentes, arrebatados de ira, proyectando en su rostro una aspereza violenta. ¡Gautiere! Un engendro del infierno al que odiaba profundamente, infame flamenco que osó menospreciarla a su llegada a Valladolid.

—¡Dejadme a solas con él! —ordenó.

Los guardias se apresuraron a salir de allí. El chirrido de la madera mohosa del viejo portón que se cerró tras ellos, le sonó a Montero como un presagio funesto. Temió por su vida y se aferró a lo poco que le quedaba:

—Señora... Si traicioné vuestra confianza fue por poneros a salvo.

—¿A salvo de qué o de quién?

—Conceder el préstamo al conde de Beltejo equivalía a vuestra condena —aseguró Froilán entrecortadamente—. El conde conspiraba contra los intereses del Rey. Todos los que tienen algo que ver con él están bajo sospecha, y el vizconde no cesará hasta suprimirlos.

—¿Por eso has intrigado con ese tal Parra? ¿Por eso está ahora muerto un hombre al que yo admiraba y estimaba?

—Nada sabía de sus intenciones, mi señora, tenéis que creerme. —Se tomó un respiro para seguir hablando porque el dolor era insoportable y le cortaba el resuello—. Gracias a mi intervención, vos estáis ahora a salvo de las represalias del vizconde de Arend. Me ha prometido que vuestra vida será respetada. ¡No podía permitir que corrierais peligro! —enfatizó con un punto más de fuerza en la voz—. Hubiera hecho lo que fuera por salvaros. ¡Cualquier cosa!

—Hasta traicionarme, por lo que dices.

—Incluso traicionaros, mi señora. Vuestra vida es lo más preciado para mí. Cuando acaben con el Infante y...

—¿Con el Infante? ¿De qué hablas? —se alarmó Germana.

—Pretenden sacrificar a Fernando para despejar las dudas sobre quién debe recaer la corona de Rey de España, mi señora.

El dispositivo cerebral de Germana tocaba a rebato. ¡Así que estaban fraguando asesinar al hijo de la reina Juana y, con él, a la nobleza partidaria de su posible subida al trono! Trastornada por la noticia, puesto que, a fin de cuentas, el jovencísimo Fernando era su nieto político, paseó de un lado a otro de la estancia, analizando a toda velocidad cómo actuar sin dilación para encarar el problema.

Montero trataba de seguir sus movimientos alternándose en su mente el pesar por su proceder y un cierto rayo de esperanza acerca de su futuro.

La que fuera esposa del Rey Católico se volvió por fin hacia el hombre que había sido su sostén y confidente durante años, convertido ahora en una piltrafa gimiente, llegando a la conclusión de que una no podía fiarse ni de su sombra. De temperamento severo, poco o nada proclive a tolerar conductas manifiestamente sospechosas, endureció el gesto, se acercó y le dijo:

—Puedes elegir entre morir deprisa o que sea muy despacio, Froilán. Cuéntame todo lo que sepas y te prometo que irás al reino de Satanás sin más sufrimiento.

A Montero el mundo se le vino abajo porque en los ojos

de la mujer a la que había amado, y aún amaba, no descubrió ni pizca de compasión, consciente ya de ser pasto de los gusanos. Nada le debía, más aún cuando le pagaba así su lealtad incomprendida, su callado amor y sus desvelos de forma tan cruel, pero la certeza de que su corazón seguiría latiendo por ella hasta el último aliento, le decidió a liberar su alma. Asintió, completamente abatido, y comenzó a hablar, soportando un dolor tan intenso que amenazaba con desmayarle.

26

La riada de maravedíes que sangraba las arcas reales con destino a Flandes con impuestos y tributos que esquilmaban al pueblo llano, mermando las finanzas de comerciantes y artesanos e incluso los patrimonios de los nobles; los abusos del clero menospreciando sus sagrados votos hasta el punto de tomar parte en bacanales o mantener relaciones entre ellos; la oposición al gobierno y el control de la nación por un flamenco, a la que incluso se sumaban los conversos; los conflictos exteriores como la intención de Francia de hacerse con Navarra y los corsarios berberiscos al norte de África, eran el caldo de cultivo en el que fermentaban las revueltas populares.

Aunque eran reprimidas enérgicamente, no dejaban de crear una causa efecto que contribuía a radicalizar los ánimos, lo que se traslucía en fuente inagotable de problemas para Cisneros en su retiro provisional de Los Arrayanes. Para no perturbar la marcha de la casa se limitaba a hacer partícipe de ellas a quien últimamente se había convertido en su apoyo moral: Diego. Pero tantos frentes iban minando el espíritu y la salud del cardenal, ya de por sí debilitados por sus muchos años.

Lejos de tranquilizarle la próxima llegada de don Carlos, a Cisneros le inquietaba sobremanera, en especial ahora que tenía que neutralizar el complot que maquinaba la muerte de Fernando. No era descartable, por otra parte, que en cualquier momento los motines alcanzasen a Trujillo, villa hasta entonces tranquila y alejada de las agitaciones de la corte.

No se equivocaba.

Rayando octubre, cuando ya desesperaban de lograr algún indicio sólido que les guiara en la dirección correcta para desactivar a los enemigos del infante Fernando, sin ni siquiera saber con certeza el paradero del joven, a punto ya el Regente de dar por finalizada su estancia en la hacienda de los Bellaste para partir hacia Santander, Trujillo se convirtió en un polvorín avivado por el arresto y posterior muerte de Balbina Cobos.

Fue el mayordomo de Diego, Savatier, quien, recién llegado a la finca, trajo las malas nuevas a media tarde.

Recluidos en el gabinete del conde, este no refrenó su lengua, zahiriendo al cardenal, miembro de la Iglesia antes que hombre de Estado.

—Los abusos de clero y nobles, añadidos a la sangría de Flandes, que no cesa, nos han llevado a esto, Eminencia —tronó Diego perdiendo un poco los papeles—. Se veía venir. El descontento se ha extendido por el Estado como la pólvora y lo que temo es que pueda estallarnos en las narices.

Cisneros, visiblemente incómodo, y también preocupado por la marcha de los acontecimientos, se limitó a asentir, pendiente del joven, más alterado de lo que era habitual en él, yendo de acá para allá por la habitación.

Por supuesto, necesitaba a Diego. Lo necesitaba como punta de lanza para la neutralización de la trama contra Fernando, pero su fidelidad a la causa podía tener fecha de caducidad. Nadie le obligaba a no cambiar de idea para preocuparse del progreso y la seguridad de su hacienda.

No podían fallarle a la reina Juana, así que se tragó el orgullo y le respondió con prudencia:

—El clero no es el culpable de todo, Diego. Se ha desestabilizado, entre otras cosas, por el advenimiento de Erasmo de Rotterdam, del que emanan muchos de los problemas. Ese hombre acabará por sacudir Europa entera.

—No os digo que no. Sus ideas chocan frontalmente con las de la Iglesia, ha conseguido soliviantar los ánimos y empiezan a crecerle seguidores como mala hierba. ¡Pero qué demonios, tampoco yo aplaudo muchas de las directrices de la Iglesia, a qué negarlo! —Elevó el joven la voz—. No me miréis así, Eminencia. Nunca falseé la verdadera identidad de mi pensamiento ante vos, desde que nos conocemos sabéis que no comulgo con muchas de las doctrinas que se imponen, más aún cuando son dictadas por hombres sin moral en el nombre de Dios.

—¡No blasfemes ante mí, Diego!

El de Bellaste hizo un gesto vago con la mano obviando la reprimenda del anciano para continuar con su perorata.

—¿De qué sirve que unos pocos nos opongamos a tanto abuso y latrocinio? ¡El pueblo está harto! Solo reclama lo que es justo y no tiene ya nada que perder. No me extra-

173

ñaría que incluso quisieran pasar a cuchillo a los habitantes de esta hacienda, ya habéis oído a Guillermo.

—Tú eres apreciado en Trujillo —negó Cisneros—. Tu nombre y tu...

—Mi nombre de poco sirve en estos momentos, Eminencia. Si el pueblo se levanta en armas no reparará en títulos o escudos nobiliarios ni recordará la ayuda que ha podido dispensársele. Además, saben que os encontráis aquí y muy bien podéis estar en su punto de mira. He dado orden de doblar la guardia, pero no sé si seremos capaces de contener a una horda enfervorecida. Deberíais partir hacia la corte de inmediato, vuestra guardia personal y algunos de mis hombres os proporcionarán protección suficiente.

—¡No pienso escapar como un corzo asustado! —repuso Cisneros en un arrebato fogoso.

Los ecos de la discusión traspasaron las puertas del gabinete llegando hasta el saloncito en el que se encontraba doña Camelia. Alarmada ya por las noticias que les habían llegado sobre los disturbios, dejó lo que estaba haciendo para acudir rauda.

—Pues deberíais, cardenal. Deberíais, en lugar de preocuparos únicamente por el Infante, nuestro menor problema ahora —decía Diego en el momento en que doña Camelia irrumpió ante ellos. Se calló, reprochándole la entrada—. Estamos ocupados, señora. Le rogaría que nos dejara a solas.

—Estáis ocupados, lo veo —se le enfrentó ella cerrando tras de sí, viendo que algunos criados comenzaban a congregarse en el pasillo, perturbados por los sucesos y por el tono desmedidamente irritado de la conversación—. Y tú, además de ocupado, gritando como un energúmeno. ¡Por el amor de Dios, bajad los dos la voz! Lo único que nos falta ahora es dar muestras de flaqueza ante el servicio.

Diego fue a replicar, pero los argumentos de la dama le desarmaban. Debía mantener la sangre fría. Pero le resultaba harto difícil cuando la seguridad del Regente y la de su familia y su gente de la hacienda estaba en riesgo. Se pasó una mano por el rostro aplacando su ánimo levantisco. Tampoco era cuestión de que el cardenal pagara los platos rotos de su humor sabiendo que había hecho lo imposible por impulsar, junto a la reina Isabel la Católica, desde que se convirtiera en su confesor, un mayor poder para el Estado en detrimento del de la Iglesia. Pero el miedo lo atenazaba. Si la revuelta iba a más, no podía permitir que Cisneros, Elena y su abuela siguieran en Los Arrayanes. Así se lo dijo:

—Partirán de inmediato. Los tres —enfatizó mirando directamente al clérigo—. No voy a aceptar discusión alguna sobre este punto. Lejos de aquí...

—Partiré, sí —le interrumpió el Regente—, pero no a la corte sino a Santander, como es mi obligación. He de estar allí para recibir a nuestro monarca.

—No estás en condiciones de emprender tan largo viaje, Gonzalo —intervino Camelia—, supone demasiados días de desplazamiento continuado y tu salud no te lo aconseja en absoluto.

—Llegaré, si Dios me da fuerzas.

—Siempre tan terco. Si has tomado una decisión va a ser harto difícil hacerte cambiar de idea, pero si emprendes ese viaje no permitiré que lo hagas solo, te verás obligado a soportar mi compañía.

A Diego, tal decisión le pareció acertada. Cualquier concesión era válida con tal de alejarlos de allí.

—Haré que preparen los equipajes. ¿Sabemos dónde está mi esposa?

—No la he visto en toda la tarde —aseguró su abuela.

Diego salió del despacho. En la galería, algunos sirvientes cuchicheaban entre sí. Uno de ellos se adelantó con gesto preocupado.

—Señor, se dicen muchas cosas pero solo nos interesa una: ¿corremos peligro? Como bien sabéis la mayoría de nosotros tiene mujer e hijos.

—Tranquilizaos, hay hombres bien armados protegiendo la hacienda.

—Pero ¿y si el tumulto se abre paso, señor? —quiso saber otro.

—En ese caso, sois libres de marcharos, nada tienen en vuestra contra.

—Yo no pienso abandonar, señor conde —se irguió Savatier poniéndose en primera fila y reprobando con la mirada al resto—. ¡Vamos! Ya habéis oído al amo, no hay motivo de preocupación. A vuestros quehaceres.

Los criados se fueron dispersando con renuencia hacia otras dependencias de la casa, salvo una muchacha joven que retomó su labor, arreglando las flores de la galería. Diego, apretando con afecto el brazo de Savatier le dijo:

—Gracias, pero si las cosas se vuelven feas quiero que todos os pongáis a salvo. Entretanto, encárgate de que vayan preparando el equipaje del cardenal y el de las señoras. Su Eminencia se marcha y ellas le acompañarán. Busca a mi esposa y pídele que se reúna conmigo en el despacho.

—El ama no está aquí, señor —intervino la criada prudentemente.

—¿No está aquí? ¿Adónde ha ido, Adelfa?

—Bajó a la villa, señor. Llevaba un par de libros para el doctor Unzaga.

Por la mirada del mayordomo cruzó un relámpago de inquietud y a Diego se le escapó el color del rostro.

—Mi caballo, Savatier. ¡Ahora! ¡Apúrate!

27

De los carromatos volcados e incendiados se desprendían llamas que crepitaban elevándose hacia el cielo de Trujillo expandiendo humo por doquier, sus mercancías dispersas aquí y allá mientras decenas de personas, hombres y mujeres, armados con rastrillos, palas, azadas, guadañas y mazas, corrían de un lado a otro haciendo oír sus consignas de libertad. Se dirigían a cercar la casa de Raimundo Fernández, centro de operaciones de la Inquisición, donde media docena de guardias se veían en la imposibilidad de contenerlos a medida que la masa aumentaba.

Diego tiró de las riendas de su caballo, que se refrenó medio encabritándose, a un paso de llevarse por delante a uno de aquellos exaltados que, hoces en ristre, la emprendían a golpetazos con un tonel de vino derramando su contenido, que tiñó de rojo líquido el lodazal que cubría buena parte de las calles. Advertidos de su presencia, un grupo que le precedía se fue hacia él, que, sin dudarlo, hizo girar a su montura para azuzarla luego y pasar bajo el arco de medio punto de la Puerta de Santiago, uno de los puestos clave para la defensa de la ciudad, llegándose después hasta las callejas que bordeaban la plaza Mayor, algo más despejadas de conciudadanos soliviantados. Dejando atrás la humareda y el vocerío enconado que clamaba justicia fustigó su caballo para que saltara por encima de una pila de aparejos llameando que le cortaba el paso, consiguiendo escabullirse en dirección al exterior de la población, zona en la que vivía el médico. Por fortuna, aquella parte de la villa permanecía en relativa calma.

En las ventanas de la casa no se veía ni una luz. Saltó al suelo y aporreó la puerta con el temor mordiéndole las entrañas mientras, a lo lejos, pero cada vez más cercanas, las salmodias y consignas contra el Estado y la Iglesia ganaban en intensidad. Trujillo en bloque parecía haber enloquecido, pero Diego no pensaba en otra cosa que no fuera en poner a su esposa a salvo. ¿Por qué demonios había salido aquella tarde? No ganaba con ella para sustos. Si a los sublevados les daba por cerrar las puertas de la villa se encontrarían atrapados en el alboroto, de donde no sería fácil escapar. Tampoco podrían tomar la ciudad las tropas que vinieran a aplacar los ánimos de los subversivos, puesto que Trujillo era una fortaleza con aljibes y abastecimiento suficiente para resistir varios días.

Golpeó con su puño insistentemente sobre la puerta sin obtener respuesta, con el corazón latiéndole dolorosamente en el pecho. Comenzó a llamar a Elena a gritos. Se abrió la madera apenas una cuarta y se le apremió a que atara su caballo al otro lado del callejón lindante y entrara luego por la puerta trasera. Así lo hizo sin pérdida de tiempo. Una vez dentro, en la oscuridad reinante, Diego pudo distinguir poco más que un par de sombras, pero el tibio aroma que siempre desprendía su esposa fue suficiente para saber que una de ellas era Elena y, a partir de esa realidad, sus pulsaciones empezaron a reducir el ritmo.

—Elena, ¿estás bien?

—Guardad silencio, señor conde —oyó que le exigía una voz masculina.

La oportuna advertencia fue confirmada por un coro vocinglero que se incrementaba a medida que se acercaba, puntualmente superado por algún disparo.

Diego abrazó a Elena cuando ella se le aproximó, apartándose de la ventana en el preciso instante en que una antorcha incendiaria convertía en añicos el cristal. Bajo el reflejo de la llama, pudo ver al dueño de la casa pateando la antorcha, apagándola antes de que prendiera en la alfombra de paja.

Se quedaron callados, expectantes, con el olor de la chamuscada estera expandiéndose entre ellos, sin atreverse a mover un músculo. Solo lo hicieron con el disminuir de la bulla que la turba dejase calle abajo.

Esperaron un rato prudente antes de que Unzaga abriera la puerta para echar un vistazo afuera, cerrara otra vez y encendiera un pequeño quinqué que depositó sobre una mesa. El juego de luces y sombras conformaba rostros difusos y cuerpos fantasmales, distorsionados.

Cuando sus ojos se hicieron a la escasa luz, Diego, que no había tenido ocasión de conocer al joven médico, advirtió que se trataba de un hombre bien parecido, moreno, delgado, cuya mirada parda e inteligente y sus maneras emanaban confianza.

—La condesa está bien, tranquilizaos. La escondí arriba cuando empezaron los desmanes. De todos modos, como vos mismo podéis comprobar, la señora está más que preparada para cualquier eventualidad —le dijo, haciendo que Diego reparara entonces en la daga enjoyada que ella sostenía con determinación.

—Le debo una, doctor —le tendió una mano abierta que el otro estrechó con cierto embarazo.

—¿Cómo está la situación, Diego? —quiso saber Elena apartándose un poco de él.

A él le pareció notar que la voz le temblaba y supuso, con toda lógica, que por mucho que su esposa se empeñara en mostrarse valerosa y decidida, hallarse en medio de semejante refriega tenía que haberla asustado. No podía, sin embargo, estar más errado, porque, aunque era cierto que Elena había pasado momentos de agobio e incluso de miedo, lo que la desazonaba en ese instante no eran los camorristas sino la cercanía de su esposo, por mucho que le agradeciera haber ido en su búsqueda. Aquella sensación contra la que no podía luchar cada vez que Diego se le acercaba, haciendo que su pulso se disparase, la turbaba, provocando en ella un cierto nivel de distanciamiento, de alejamiento esquivo.

—Han levantado trincheras —explicaba él—, incendiado carromatos, cortado calles... Están intentando tomar la sede de la Inquisición, la casona de Fernández.

—Podéis quedaros aquí hasta que se calme todo —ofreció Unzaga—. Mi morada no es gran cosa, pero supone un lugar seguro hasta que remita esta locura y podáis regresar a Los Arrayanes sin peligro. Procurad no hacer ruido, mi señor, en algunas casas han empezado a quemar libros y saben que yo guardo ejemplares médicos, de modo que no sería de extrañar que cualquier exaltado me señale y vengan a por ellos. ¡Pandilla de descerebrados! ¿Qué intentan demostrar con eso? Como si quemar libros fuera a rebajarles los tributos o facilitarles una bula de la Iglesia Católica —se exaltó—. Subid, yo debo unirme a ellos.

—¡No diga tonterías! —protestó Elena a la vez que enfundaba por fin la daga a su cadera—. Pueden matarlo. ¿Es lo que quiere?

—No es eso, mi señora. —A pesar de la incómoda situación se le escapó una media sonrisa viendo que ella no perdía su bravura—. Me llama mi deber como médico. Habrá heridos, quiera Dios que no muertos, a los que socorrer, y soy galeno.

—Por desgracia caerá más de uno —contradijo Diego—. El destacamento cercano a Cáceres debe de estar ya al tanto de la revuelta y, sin duda, los soldados no tardarán en llegar.

Unzaga no argumentó nada más, porque temía que fuera así. Se puso una capa sobre los hombros, tomó su maletín y señaló el aparador.

—Hay vino y comida. Por favor, tened cuidado.

Elena volvió a darle las gracias antes de que saliera, apoyándose después en la puerta y dejando escapar un suspiro entrecortado. Delante del médico se había resistido a dejar traslucir su preocupación, pero ahora sentía que se desmoronaba su temple.

De no haber sido por el joven doctor...

Había conseguido burlar a la muchedumbre por los pelos tras un encontronazo con un cuarteto que, por muy poco, no logró atraparla. Uno de ellos incluso había saltado hacia ella sujetando las riendas de *Hades* y agarrando la manga de su chaqueta. Se empleó a fondo para quitárselo de encima a base de golpes de fusta, saliendo después a escape, con los otros tres a la carrera en pos de ella, armados de palos y vociferando insultos contra la nobleza. Alcanzar la casa de Unzaga sin más contratiempos supuso un verdadero milagro. Desmontando, había llamado desesperada a la puerta, que no tardó en abrírsele. Unzaga espantó al caballo arrastrándola a ella al interior de la vivienda, que se encontraba a oscuras. Por suerte, sus perseguidores, confundidos, salieron tras de su montura. Rogaba por que el instinto del animal lo hubiera guiado de regreso a la hacienda. No quería perder a *Hades* por nada del mundo.

Cerró los ojos esforzándose por calmarse, escuchando el bombeo desacompasado de su corazón como si latiera en sus oídos.

Diego, entretanto, husmeaba en el aparador, de donde tomó una botella de vino, y se volvió con ella en alto, advirtiendo entonces la deplorable apariencia de Elena, hecho que había pasado por alto dadas las circunstancias: una manga de su chaqueta le colgaba hecha jirones y el cabello, revuelto, le caía en mechones desordenados. Maldijo a todo y a todos por la situación en la que se hallaban. Era cierto que nunca debió haber salido de la hacienda sin protección, pero lejos de recriminarle su alocado proceder, atravesó el cuarto, le tendió el vino y le dijo con ternura:

—Bebe. Te tranquilizará.

28

Elena clavó su vista en él, y su figura irrumpió en sus retinas con matices indefinidos porque la luz del quinqué arrancaba a su despeinado cabello destellos cobrizos y dorados o lo tornaba oscuro como la noche, al baile juguetón de la llama indecisa. No podía verle bien el rostro, pero alcanzó a percibir el fulgor de sus ojos mirándola sin pestañear. El impulso de alzar la mano y acariciarle la mejilla fue tan fuerte que apenas consiguió reprimirlo. Parado ante ella, en la penumbra, solos, al abrigo de un peligro exterior, emanaba de él un aura fascinante a medio camino entre ángel protector y demonio incitante.

Rechazó la botella que le ofrecía y negó.

—No podría ni dar un sorbo.

—Te sentará bien, calmará tus nervios —insistió él.

—¿Quién dice que los tenga?

—Pareces un alma en pena.

—Muchas gracias —ironizó ella, desviando así su estado de ánimo que clamaba por él—. Es el cumplido más encantador que me has dicho nunca, Diego. Te superas en tus galanterías con el tiempo.

Los labios masculinos se estiraron en una mueca divertida, distendida, liberadora de la tensión vivida por la seguridad de su amada. Hallándola sana y salva, había tenido ganas de besarla y de retorcerle el cuello. A partes iguales. También había esperado, como un necio, que ella se le echara en los brazos por acudir en su rescate. ¡Vana ilusión! Pedir eso estando casado con Elena Zúñiga sonaba a utopía. Su adorada esposa podría estar con un pie en el infierno y seguiría manteniendo el orgullo que le impedía mostrarse transparente. Pero él sabía que estaba un poco atemorizada y lo que él pretendía en ese momento, quisiera ella o no, era reconfortarla.

Se olvidó de la botella, se acercó a ella y la encerró sin más en la cárcel de sus brazos apoyándolos en el muro. Adivinó, más que vio, un centelleo de reserva en los ojos de Elena, que pegó la espalda a la pared. ¡Condenada fuera! ¿Por qué se empecinaba en evitarle? ¿Por qué le rehuía constantemente? No conseguía entenderlo. Durante su excursión por las tierras de la finca, Elena se había comportado como antaño, como cuando eran muy jóvenes, desinhibida, haciéndole bromas y hasta pequeñas confidencias de sus años de estudios con las monjas. Sin embargo, cada vez que se le acercaba más de lo que ella creía prudente, se ponía el escudo defensivo y lo rechazaba sin palabras.

Salvo en el *hammam*.

Allí había coqueteado con él del modo más descarado, manteniéndolo con la excitación a flor de piel.

Y así, al amparo de la semioscuridad y el silencio que perturbaba ocasionalmente el rumor puntual de la horda lejana, Diego la estrechó contra su cuerpo, atrapó su boca y se fundieron sus labios, porque ella, tan hambrienta como él, respondió ciñendo sus brazos a su cintura.

Diego no desaprovechó la oportunidad que se le brindaba: la besó como si le fuera la vida en ello, embriagado por la calidez de unos labios que se abrían exhalando un suspiro, enfervorecido por la presión de su abrazo inesperado y el contacto de sus pechos adheridos a su tórax. Su libido se disparó. Porfiando o no, Elena se le estaba entregando, faltaba saber si al abrigo de las circunstancias o por la llamada de su propio cuerpo. Se negó a pensar para ofrecerle su alma entera en aquel beso.

El cuerpo de Elena se iba diluyendo en el torrente de las caricias apasionadas de Diego hasta el punto de anular su ego, ese ego en el que se había refugiado para rechazarle a conveniencia. Sabía que si se inmolaba por sus besos, si le dejaba hacer, después le sería muy difícil volver a elevarse en el pináculo de su orgullo. Pero ¿cómo resistirse a unos labios con los que soñaba cada noche, con los que deliraba desde que fuera una cría?

—¡Elena...!

A ella, la cabeza le daba vueltas. La voz de Diego no pronunciaba su nombre, lo rezaba; sus brazos no la estrechaban, la agasajaban; su boca, como fuego en la suya, no la besaba, la veneraba. Se sintió más femenina que nunca, más amada de lo que jamás imaginó, tal vez más vulnerable pero más confiada y exultante que en toda su vida anterior. Dejó escapar un gemido cuando los labios masculinos, abandonando los suyos, dibujaron un sendero de diminutos y ardientes besos sobre el puente de su nariz, sus párpados cerrados, sus mejillas, su cuello.

—¡Elena...!

Diego exclamaba su nombre depositando en él el gozo de un espíritu rendido a ella. El nombre que se le escapaba en sueños imaginándola a su lado, en su cama, satisfecha tras hacer el amor, cautiva, húmeda y entregada. El nombre que había sido para él salvación y condena desde hacía años.

Sus manos, ávidas, exploraban las formas femeninas bajo la ropa mientras su boca retornaba a la de Elena que, por su parte, paseaba las suyas exentas de timidez por la espalda de su esposo. Él se estremecía y la abarcaba impunemente y ella se enardecía. Conscientes ambos del incendio desatado, un fuego que ardía en la pira del deseo mutuo, se adentraron en el placer de tocarse abocados a extinguirlo en el oleaje de su pasión.

No había marcha atrás en la guerra de voluntades. El poso del recelo de la muchacha estaba siendo barrido por un vendaval imparable. El hombre a quien quería, su paladín de niña, su ensueño de adolescente, su camarada y confidente era también su esposo y su pasión de mujer. Y ella deseaba ahora que fuera también su amante. Amaba a Diego más allá de cualquier otra consideración, era absurdo mantener barreras.

Se aferró a su cuerpo, lo besó con delirio asiendo sus manos mechones de cabello de Diego para no permitir que se separaran sus bocas. Quería más. Necesitaba más. Todo su ser vibraba por la urgencia de absorber la esencia de su piel desnuda. Tiritó por el frío reinante en la habitación a pesar de que su temperatura se disparaba cuando él mordisqueó sus pechos desnudos.

¿Cuándo le había quitado él la chaqueta y la camisa?

Las manos de Diego cubrieron su carne trémula extendiéndose como tizones que le quemaban la piel. Inhaló aire, ahogada por las sensaciones que se despertaron en su bajo vientre que pugnaba también por el cuerpo desnudo de Diego.

—Vámonos arriba, mi amor.

La voz ronca, arrobada, con una carga de fervor apremiante y de ruego, conmovió a Elena. «Arriba», decía él. ¿Se podía subir más alto si ya se encontraba volando al nivel de las estrellas? No quería moverse de allí, no deseaba ir a ninguna parte, solo quería que Diego continuara besándola, tocándola impúdico.

Los labios de Diego se separaron de los suyos para levantarla en brazos y volver a ellos una vez más antes de tomar la lamparilla mientras ella, con un suspiro, se acurrucaba contra su pecho. De tres en tres subió los escalones que conducían a la buhardilla. Empujó la puerta con un hombro, entró con su preciada carga, cerró con el tacón de su bota y depositó a Elena en el suelo, volviéndole a robar el aliento con otro beso incendiario que aumentó la calentura que les hostigaba.

El cuarto era de buenas proporciones, aunque tan espartano como la sala inferior: un catre, una mesilla, un armario de dos cuerpos, un pequeño arcón y una diminuta coqueta desde la que les contemplaba el óleo de una chiquilla que guardaba cierto parecido con el doctor Unzaga. Diego se fijó en él de refilón y, en un asomo de decoro, lo colocó boca abajo. Lo que tenía pensado hacer con Elena no era apto para ojos inocentes. Luego, quitándose la capa la estiró sobre el camastro y buscó alguna manta.

—Diego...

Giró sobre los tacones de sus botas. Elena, acostada sobre el camastro, le tendía los brazos reclamándole. Era el canto de sirena con el que Diego había fantaseado multitud de noches: la entrega al fin de la mujer por la que sacrificaría su vida y su alma. Caminó hacia su esposa con la determinación de un autómata.

29

Se desnudaron sin tregua, sedientos ambos del cuerpo del otro.

Diego mordisqueó la carne del hombro femenino dirigiendo hacia su cuello la caricia de su aliento, aplicando entretanto las yemas de sus dedos a palpar suavemente la extensión de sus brazos, coqueteando con sus codos, mimando sus muñecas.

Elena respiraba entrecortadamente captando sensaciones eróticas que el aire transportaba a todo su cuerpo, avivando el fuego que crecía entre sus muslos.

—Eres el manjar del que nunca voy a saciarme, mi vida.

La voz susurrante, jadeante, de Diego sacudió cada fibra del ser de Elena. Su lengua, húmeda y caliente, vagaba dueña y señora modelando sus pechos doloridos, jugando con sus pezones enhiestos, discurriendo hacia su vientre. Y ella se ahogaba en emociones nunca imaginadas. Le acarició los hombros, la nuca, el cabello. Deseaba tocar todo su cuerpo, pero dudaba, sin saber a ciencia cierta hasta qué límite físico aventurarse. Sus sueños podían cobrar forma ahora, pero le atemorizaba pensar que, de llevarlos a cabo, a Diego pudiera parecerle que su actuación era demasiado atrevida para una virgen. Dejó pues a un lado sus propios deseos y se sometió al ritual de su esposo quitándole la ropa, que caía al suelo en un desfile de piezas. Ya no había vuelta atrás.

Desnuda ya, presta a la entrega, no se reprimió en comérselo con los ojos mientras él se desembarazaba de sus prendas, que desabotonaba y rasgaba en su apresuramiento, iluminándosele las pupilas ante el esplendor del cuerpo que se le mostraba, delgado y fibroso, tan glorioso como lo recordada y como lo había visionado en su cabeza decenas de veces desde la tarde que pasaron en la sala de baños.

Diego se sentó sobre sus talones, frente a ella, convertidos sus ojos en dos faros brillantes y codiciosos que se pasearon por las formas explícitamente sensuales de su esposa. Pequeña y delicada, con la cascada de cabello rubio, casi platino, resplandeciente sobre la almohada, Elena se materializaba ante él en el sueño convertido en mujer. Le dolía cada músculo por el control al que estaba sometiéndose para no tomarla en ese mismo instante, sin más, ateniéndose al torrente de vibraciones que fluía por poseerla. Se obligó a ir con calma, por nada del mundo quería que ella se replegase, asustada.

Empezó por acariciarle los tobillos, ascendiendo sus manos hasta las rodillas, jugueteando en sus corvas, subiendo luego por sus muslos hasta llegar al vientre, que agasajó en un cortejo de círculos que arrancaron en la muchacha suspiros placenteros. Transitaron después sus dedos la senda a la inversa deteniéndose en sus pequeños pies, que fue ma-

191

sajeando, en tanto su lengua trazaba una línea húmeda en el empeine de uno de ellos sobre cuya piel mojada soplaba después arrancándole respiraciones agitadas, casi sollozos, que provocaban torsiones en su cuerpo febril.

Elena ardía de pura necesidad física, pero se retrajo cuando la mano de Diego se adentró en el vértice entre sus muslos, cerrándolos con una exclamación avergonzada.

—Tranquila, mi amor. No voy a hacer nada que no quieras que haga —le susurró él entrelazando su mano con la de ella, besándole los nudillos.

—No... Yo...

—¿Confías en mí?

¿Confiaba en él? La voz de su corazón le decía que sí pero aquella otra, la de su registro más cerebral, albergaba dudas. ¿Debía realmente hacerlo aun a sabiendas de que la espina del recelo por sus secretas actividades seguía hiriéndola? Si se entregaba a él y resultaba ser un traidor, su vida se haría pedazos porque debería repudiarle y eso la destrozaría.

—¿Confías en mí, Elena? —insistió Diego, cuyos dedos trazaban nuevos senderos ardientes en su piel.

—S...s...sí.

—Abre las piernas, no tengas miedo.

Elena tragó el nudo que se le formó en la garganta. Ahora, en el momento de la verdad, le atacaba el temor y casi deseaba saltar de la cama y salir corriendo de allí. Se amonestó a sí misma, porque no era esa su forma de actuar, huir de las dificultades, sino enfrentarlas. Amaba a Diego, lo deseaba impetuosamente, ¿y tenía realmente miedo?

Adivinando sus temores, él fue trepando por su cuerpo hasta conseguir una vez más su boca, recreándose su lengua en los labios femeninos, entreteniéndose en las comisuras, paseándose por ellos con la misma suavidad que lo hubiese hecho una pluma, apenas rozándolos. Poco a poco se fue ella sosegando, se fue aplacando hasta entregarse sin reservas, otorgándole el mando. Con una rodilla instó a las de Elena a separarse, se apoyó en las palmas de las manos, se acopló al cuerpo de su esposa haciendo que su glande dolorido rozase su parte más íntima. Ella dejó escapar un suspiro entrecortado. Y el mundo de Diego se volvió del revés, accionado por las manos de Elena sujetándose posesivas a su cintura, clavándole las uñas en la carne, instándole a tomarla mientras sus ojos, bebiendo de los de él, centelleaban de deseo.

Diego creyó morir. Su miembro le exigía la culminación; su mente, un proceder paciente, y su corazón, amarla hasta la desesperación proporcionándole toda la ternura y el cariño acumulado durante tantos años de ausencia. Lo que denostaba por encima de todo era hacerle el mínimo daño, pero sabía que ella debería pasar por la ingrata molestia que representaba la rasgadura de su himen. Se odió por ello, a la vez que su euforia subía de nivel por ser el primer hombre para Elena.

—Desde este momento, el único —se juró, jubiloso, sin apercibirse de decirlo en voz alta.

Entró en ella despacio, dejando que el cuerpo de la muchacha se habituase a la invasión del suyo, con los músculos tensos como cuerdas por el esfuerzo de contenerse y el sudor cosquilleándole en la espalda. Elena estaba maravillosamente húmeda y preparada para él, le costó un triunfo refrenarse. Pero lo hizo. Empujó con infinito cuidado, retirándose al contacto de la membrana virginal. Repitió la operación dos veces, tres, cuatro... Cuando la penetró profundamente a ella se le nubló un segundo la mirada y respingó ligeramente, pero se aferró vehementemente a su cintura sin que sus ojos azules se desviaran un milímetro de los de él.

Diego buscó su boca, volvió a estremecerla con sus besos antes de iniciar de nuevo el cortejo. Casi salió de ella para invadirla una vez más, sin llegar al fondo, varias veces, como hiciera anteriormente, hasta provocar que Elena alzase por propia decisión su pelvis, uniéndose completamente a él.

Solo se dejó llevar cuando la escuchó gritar su nombre, una y otra vez, al borde de la cumbre. Entonces, y solo entonces, liberó a los demonios que había estado reteniendo durante todo el tiempo, encadenándose al cuerpo de Elena con un gruñido satisfecho que se conjugó con los espasmos de la mujer que amaba.

Con los corazones retumbando como tambores de guerra, sudorosos y gozosos por la plenitud compartida, permanecieron abrazados. Diego echó como pudo una manta sobre ellos, negándose a abandonar el túnel sedoso que lo atrapaba; ella, egoísta de su cuerpo, impidiéndole que lo hiciera.

Acostados después uno junto al otro, apoyó Elena la mejilla en el pecho de su esposo, agotada, saciada, halagada de ser lo más preciado para Diego. ¡Qué tozudez había demostrado huyendo del acto carnal que él le demandaba todo ese tiempo! La vida no era sino un soplo, unos segundos apenas en la inmensidad de la eternidad, y ella había desperdiciado ya demasiados. Aprovecharía la dádiva exquisita de ese amor, agotaría el néctar de la pasión que sentía por él, apuraría la copa del placer mientras pudiera. Y luego... si tenía que dejarlo... Le subió un sollozo a la garganta al pensar que podía ser así, que podía perderlo, y se abrazó con mayor intensidad a él. Porque ella tenía sus principios, preceptos inamovibles a los que por nada renunciaría, reglamentos morales arraigados desde la cuna a los que no traicionaría. En sus cánones de conducta no cabía una insidia como la que conjeturó que podían estar perpetrando su esposo y el cardenal. Ni siquiera por Diego arrojaría por la borda sus convicciones. Ni siquiera por él.

Pero allí, entonces, alejó de su pensamiento todo aquello que no fuera el presente, todo lo que no fuesen los brazos de Diego sosteniéndola, su voz arrullándola, su olor cautivándola y sus manos seduciéndola.

No. Ya pensaría en asuntos políticos otro día. Ahora solo quería vivir como una mujer enamorada, la que siempre había sido por Diego. No quería saber más.

30

El tenue rayito de sol que se filtraba a través del ventanuco incidió en el rostro de Elena, que, medio en sueños, se estiró para darse la vuelta en el camastro y seguir durmiendo.

Diego, por el contrario, excepto un corto y profundo sueño, apenas había podido descansar durante la noche acuciado, entre otras cosas, por las recientes preocupaciones que se centraban en la seguridad de los trabajadores de Los Arrayanes. Elena y él, gracias al amparo de Unzaga, con quien había contraído una deuda de por vida, consiguieron ocultarse de la turba exaltada, pero, ¿qué suerte habrían corrido sus empleados? ¿Y Cisneros y doña Camelia? La duda de si los alborotadores habrían llegado o no hasta la hacienda lo mantuvo en vilo hasta casi el amanecer, con un grado de culpa transgresora por no haber estado con ellos, refugiándose en cambio en casa del médico como un corzo acorralado en lugar de haber estado defendiendo su casa y a su gente.

En su fuero interno, no obstante, reconocía haber actuado del modo más adecuado. Tenía hombres de vigilancia suficientes como para mantener a un grupo de amotinados a raya y, si debía ser sincero, él no hubiese podido blandir arma alguna contra hombres y mujeres con los que trataba frecuentemente, a los que apreciaba, de los que incluso conocía el nombre de sus hijos, personas a las que daba trabajo durante buena parte del año. Luchar contra el pueblo de Trujillo, por mucho que se hubieran alzado en armas contra el poder establecido, no entraba en sus planes. Antes dejaría que quemasen Los Arrayanes hasta los cimientos.

Así y todo, la impaciencia por regresar y conocer de primera mano lo sucedido lo mantuvo intranquilo.

El movimiento de Elena le hizo olvidarse de todo para centrar su atención en ella. Arrugó el ceño y rememoró, uno a uno, los elixires sublimes que habían apurado juntos la noche pasada. Porque aunque permanecía en él la exaltación por su entrega desmedida, también había sido consciente de que, en ciertos momentos, Elena había parecido dudar. No dejaba de preguntarse por la causa, tenía la enojosa sensación de que ella le ocultaba algo.

Diego no quería solo el sometimiento de su cuerpo, bien porque las circunstancias adversas y el miedo los hubieran echado al uno en brazos del otro, bien porque ella hubiese decidido al fin cumplir con sus obligaciones de mujer casada. Diego quería más. Deseaba los besos de Elena, pero también deseaba su corazón plenamente, sin ambages ni secretos entre ellos.

Dejó que su mano dibujase el contorno del brazo femenino que asomaba bajo la manta, maravillado de la suavidad de su piel. El control de sí mismo le abandonaba a su contacto, el deseo lo aguijoneaba sin piedad y se encontró siendo de nuevo el títere que suplicaba en silencio por poseerla.

Elena giró el cuello y lo miró con aquellos ojos de color cielo, grandes y luminosos. Se cubrió la boca acallando un bostezo para acabar por sentarse y, puritanamente, con las mejillas encendidas, esbozar una media sonrisa.

—Buenos días.

Diego la conocía lo bastante como para saber que estaba nerviosa, un poco desconcertada. Además, probablemente algo dolorida. Retuvo por tanto su calentura, correspondió a su saludo con un liviano beso en los labios y dijo:

—Deberíamos intentar regresar a casa.

En los iris de ella se silueteó la sombra del temor. Tragó saliva, desvió la mirada y asintió.

—¿Crees que nos encontraremos con problemas en la hacienda?

Diego prefirió no responder, como si callando ahuyentara el pesimismo. Hizo la ropa a un lado y se levantó para echar un vistazo por la ventana. Abajo, todo parecía estar en calma, y sobre los tejados se vislumbraban algunas columnas de humo.

La visión del cuerpo desnudo de Diego bañado por la luz del amanecer hizo que la muchacha contuviera el aliento. En cascada se fueron recreando en su cabeza cada caricia, cada beso en esa piel morena, seda pura con la que había gozado. Tuvo la sensación de que se sonrojaba aún más al mirarlo de modo tan desvergonzado. La estupidez de su reparo, después de la vivencia que habían compartido, la irritó. No había incurrido en inmoralidad alguna y, sin embargo, asumir la relativa facilidad con la que había caído en brazos de Diego le provocaba un sentimiento contradictorio. Se había propuesto encandilarlo, subyugarlo, conseguir que se aviniera a su juego para después mantenerlo a distancia, haciéndole pagar caro la decisión que tomó sin que ella tuviera voz ni voto: su matrimonio. En cambio, había sido ella la víctima de su seducción.

«No volverá a ocurrir hasta aclarar con Diego qué se trae entre manos», se juró. Si durante el intervalo de placer loco solo había pensado en disfrutar del amor que le tenía, ahora, a la luz del nuevo día, se aclaraba su mente confusa para negarse a aceptar el papel de esposa sumisa a quien se podía manejar ocultando proyectos o enmascarando realidades.

Envolviéndose en la manta se levantó del camastro, tomó la ropa que él le tendía y procedió a vestirse con premura, intentando evitar en lo posible mostrar su desnudez, obviando que la mancha en la capa de Diego evidenciaba su virginidad entregada y rehuyendo los ojos masculinos, fijos en ella.

Ya vestidos, adecentaron entre ambos el cuarto y descendieron a la planta baja. Diego se disponía a ojear en el exterior pero les sorprendió Unzaga, que, desde la calle, empujó la puerta, sobresaltándolos.

Llegaba con el rostro desencajado, los ojos inyectados por el cansancio y sucio. Les saludó sin palabras, apenas un movimiento de cabeza, dejó su maletín sobre la mesa y se derrumbó en la silla.

—¿Qué ha pasado? ¿Cómo están las cosas? —quiso saber el conde de Bellaste.

—Vino, por favor —pidió el galeno con voz cascada.

Elena se apresuró a pasarle la botella y él se echó al coleto un buen trago. Se pasó una mano por el rostro, que parecía haber envejecido años, y una turbia mirada los enfocó.

—Gracias a la Divina Providencia solo hay que lamentar la muerte de un paisano —les dijo—, Armando Rojas. Se puso delante de su mujer sin tener en cuenta la bisoñez, la poca preparación y el nerviosismo de un soldado que abrió fuego.

—¡Dios!

—La milicia ha imposibilitado que los desatinos llegaran a más, aunque la casa de Fernández está en ruinas y los que la ocupaban, esa pandilla de verdugos a los que ampara la Santa Inquisición, han tenido que poner pies en polvorosa. Quiera la Virgen que se pudran por el camino.

—¿Hay muchos heridos? —preguntó Elena, apenada por la suerte del finado, al que conocía.

—No tantos como me temí. Por fortuna, el militar al cargo de los reclutas controló a sus inquietos muchachos y el miedo a la fuerza armada ha ido apaciguando la revuelta —les informó—. Podéis salir sin problemas, mis señores, todo el mundo ha regresado a sus casas y solamente una intendencia de paisanos, al mando de los soldados, recorre ahora la villa tratando de poner orden. Van a pasar días hasta que Trujillo vuelva a la normalidad. Es más seguro ahora andar por las calles, pero no os detengáis.

Diego volvió a tenderle su mano.

—Le damos las gracias por todo, doctor. Sin su ayuda...

—Poned a vuestra esposa a salvo, señor. Yo no he hecho más que cumplir con mi deber cediéndoos mi humilde casa.

—Estoy a su disposición para lo que sea menester. Enseres, comida o dinero. Ordenaré de inmediato que le provean de cuanto sea necesario para atender las necesidades médicas más perentorias.

Unzaga asintió agradeciéndole sus palabras y dejando que una cansada sonrisa anidase en sus labios.

—Cuando pisé Trujillo, buscando la manera de abrirme camino en medicina, lo primero que escuché fue vuestro nombre adornado de alabanzas. Y el de la señora condesa. Los hombres y mujeres de esta villa tienen suerte de poder contar con dos personas de vuestro talante y magnanimidad, señor. Por mi parte, aceptaré encantado vuestro ofrecimiento, y no dudéis en que no me quedaré corto en caso de que así lo requieran las circunstancias. En su momentánea locura, esos infelices han incendiado incluso las moradas de algunos conciudadanos que precisan atención inmediata de cobijo. Es mucho lo que se ha perdido esta noche.

—Entre todos conseguiremos que retorne la normalidad.

—Así lo espero. Id con Dios.

31

A pesar de la llegada inexorable del invierno, los campos extremeños seguían exhibiendo un arco iris de tonos verdes y dorados, salpicados de cuando en cuando por las siluetas perezosas y oscuras de la ganadería que pastaba en los prados, ajena a cuanto había acontecido la noche pasada, o la mancha informe en la distancia de las ovejas a las que guiaba un perro pastor de piel negra, siempre alerta, y el blanco algodonado de las nubes pendiendo en el cielo.

Zarzas, tomillo, dedaleras rosas, clavellinas blancas, tréboles, cardos y campanillas de otoño... ¡Había echado Elena tanto de menos esos parajes!

Al resguardo de la vera de ciertos caminos, donde el aire frío no lastimaba la floresta, se mantenían erguidas y brillantes sábanas de viboreras, que, aun después de perder su color púrpura tornándose en otro azulado, seguían siendo un festín para los ojos de la joven. Más de una vez el padre de Diego le había obligado a tomar infusiones de aquella

planta para mitigarle la irritación de garganta. La disposición de las hojas en flor a lomos de un tallo alargado suge-
rían una serpiente enroscada, circunstancia que alimentaba
la creencia de que, comiéndola tierna, podía paliar los efectos de la mordedura de una víbora. Al hilo de ese recuerdo
se le dibujó en los labios una sonrisa condescendiente por la
facilidad con que el vulgo daba crédito a estúpidas patrañas,
sin otro fundamento que una afirmación repetida cientos
de veces hasta convertirla en un hecho cierto. ¡Claro que
no tenía tales cualidades curativas! Diego era testigo de sus
nulas propiedades mágicas: en cierta ocasión, siendo niños,
sufrió la mordedura de una culebra común y le hicieron
tomar de dicho bebedizo. Ella, en su afán infantil por cu-
rarlo más aprisa, le urgió a que ingiriera más cantidad, provocándole una flojedad de vientre que lo mantuvo en cama
días que se alargaron eternamente en su debilidad y sus
visitas al excusado. Escondió la cara contra la espalda de
Diego, a cuyo cuerpo iba enlazada sobre el caballo, repri-
miendo la risa.

Tan animada parecía que Diego se atrevió a entablar
conversación. Ladeó la cabeza para mirarla solo para volver a quedar prendado de sus ojos claros.

—¿Quieres que vayamos más despacio?

—Lo que quiero es llegar cuanto antes a casa. ¿Por qué
vamos a ir al paso pudiendo ir al trote?

Diego carraspeó retornando la mirada al camino.

—Lo decía por si te encuentras... incómoda.

—Me hubiera gustado más regresar a lomos de *Hades*
en lugar de hacerlo sobre este malhumorado e insolente ja-
melgo que tienes por compañero de fatigas, no voy a negár-
telo. No es el mejor modo ir a la grupa.

—Me refería a... algún tipo de incomodidad por... lo de anoche.

A Dios gracias iba protegida tras las anchas espaldas de Diego, porque el sofoco —otra vez el maldito sofoco que parecía no querer abandonarla cada vez que estaba a su lado— tiñó sus mejillas. A él no le faltaba razón para preguntarle. Era cierto que persistía aún un ligero escozor entre sus muslos, pero nunca lo admitiría. No ante él. Porque esa satisfacción no iba a dársela.

—Estoy perfectamente —gruñó por lo bajo.

—¿Qué? —Él giró la cabeza para escucharla bien.

—Que estoy bien.

—Me alegra saberlo. Normalmente la primera noche... bueno, ya sabes. —Volvió la mirada al frente con una sonrisa divertida.

—Diego, ¡mejor cállate!

Él se mordió el carrillo para contener el acceso de risa. Elena era mucha Elena, siempre en guardia, siempre presta a la escaramuza dialéctica, pero en esa ocasión renunciaba a entrar al trapo. Guardó silencio de momento, aunque pensaba mortificarla con más insinuaciones de ese tipo en cuanto tuviese la ocasión. Disfrutaba provocándola desde que era una mocosa respondona y no tenía intenciones de desechar ese placer por mucho que ahora fuese su esposa, ahora en todo el sentido de la palabra. Se le hinchó el pecho de vanidad varonil rememorando los arrumacos que le había prodigado mientras hacían el amor.

Espoleó su caballo al galope en cuanto avistaron Los Arrayanes. Atravesaron las puertas de la hacienda y, tan pronto como su presencia fue advertida, un grupo de sirvientes con doña Camelia al frente les salió al encuentro asediándoles con preguntas. El conde de Bellaste no respondió hasta tomar a Elena por la cintura para bajarla del equino, manteniéndola pegada a su costado.

—Todo ha terminado —dijo al grupo expectante, impaciente de noticias—. El fuego ha destruido la casa de Fernández y han ardido algunas otras viviendas de aparceros; en las calles son notables los destrozos y el desorden, pero se ha impuesto la calma gracias a la milicia. Ahora, doña Camelia, dispénsennos, si no les importa, mi esposa y yo necesitamos un baño y algo de comida.

Se dispersaron raudos los sirvientes para atender la solicitud, y ellos dos, acompañados por la abuela de Elena, se guarecieron del viento helado que arrasaba el patio en el interior de la vivienda. Ya en el salón, a la espera del baño reparador y las viandas, no tuvieron otro remedio que poner al tanto a la dama de sus propios pasos, de los desmanes del populacho y de la ayuda inestimable de Unzaga.

—¿Y su Eminencia? —preguntó Diego ya más sosegados todos—. ¿Están preparados los equipajes?

—Saldremos en cuanto mi nieta haya descansado.

—¿Saldremos? —frunció el ceño Elena, que apenas había intervenido, dejando las aclaraciones a su marido—. ¿Es que nos vamos de Los Arrayanes? ¿Por qué?

—Mañana mismo, al amanecer. El cardenal y vosotras dos partís hacia Toledo, aunque él está empecinado en ir a Santander.

—¿Quién lo dice? —se le enfrentó con cara de pocos amigos. No estaba en su mente irse a parte alguna ahora que las aguas parecían volver a su cauce entre ellos.

—Lo digo yo.

—Así. Por las buenas.

—Eso es. Las cosas no están bien por estos lares, ya lo has comprobado, su Eminencia está enfermo y la seguridad de tu abuela y la tuya son prioritarias.

A Elena le sobrevino un arrebato de furia. De modo que Diego quería librarse de ella. Claro. Ya había conseguido su propósito y ahora no quería cargar con una esposa que objetase sus movimientos.

Iba a contestarle cuando hizo su aparición un Cisneros desmejorado, evidenciando no haber descansado. Diego se apresuró a ayudarlo a tomar asiento, preocupado por el tono ceniciento del rostro del anciano, donde las ojeras formaban bolsas oscuras bajo los párpados hinchados.

—¿Os encontráis bien, Eminencia?

—No —repuso el cardenal palmeando con afecto la mano del joven—. Me siento como si una reata hubiera pasado sobre mis exhaustos huesos, muchacho, pero falta aún para que una noche en vela consiga rendir este viejo cuerpo. ¿Qué ha pasado? Ya me han dicho que Trujillo ha recobrado la calma.

Narró de nuevo Diego los avatares omitiendo el hecho del asalto a la casa ocupada por los inquisidores. No así Elena, azuzada aún su alma por las desgracias acontecidas en la ciudad por culpa, en parte, de quienes ella llamaba mentalmente pandilla de murciélagos asesinos. Se puso frente a Cisneros y le espetó:

—Lo único bueno del alboroto es que los demonios vestidos de sacerdotes que se instalaron en Trujillo, y con los que tenéis mucho que ver, Eminencia, han tenido que huir con rabo y tridente entre las piernas.

—¡Elena! —la reprendió su abuela.

Dejando a Cisneros con una respuesta en la boca, agarró a la muchacha del brazo sacándola del cuarto para llevársela pasillo adelante. Su mal humor estalló apenas se alejaron unos metros:

—¡Cómo te has atrevido a...!

—¿Es acaso mentira que la revuelta ha sido causada, en gran medida, por lo que los inquisidores hicieron a Balbina Cobos? —Dio un tirón para soltarse—. Tú no has visto a esos hombres enfebrecidos de odio, abuela, dispuestos a cualquier cosa. Balbina era apreciada en Trujillo, una de sus vecinas más benefactoras, y su muerte ha sido la gota que ha colmado el vaso.

—Eso, y los pasquines que, desde hace días, han empapelado los muros —repuso la anciana con gesto amargo, aunque sin quitar la razón a la muchacha. También ella sabía la ojeriza que el pueblo alimentaba hacia esos sujetos a los que Cisneros, en su calidad de Inquisidor General, protegía muy a su pesar.

—Tú lo has dicho, abuela. —La indignación de Elena no mermaba al ritmo que su abuela abundaba en sus razonamientos—. Porque, aunque la mayoría del pueblo es analfabeta, no falta quien sabe leer y lo hace en voz alta, o quienes exhortan con sus pregones agitadores en las plazas. La nación entera lleva clamando justicia durante demasiado tiempo, y no seré yo quien me oponga a este vendaval de resentimiento cuando están cargados de razón.

—Pero enfrentarte directamente a Cisneros puede dar con tu cabeza en el cadalso, Elena —le advirtió—. Recuerda que él es el Regente, con poder absoluto sobre tierras y personas. ¡Y acabas de insultarlo! Si decidiera aplicarte un escarmiento, ni la amistad que lo une a tu esposo, ni siquiera yo misma, podría evitarlo.

—Cisneros no es sino un anciano decrépito y enfermo, al que no temo en absoluto.

Doña Camelia movió la cabeza apesadumbrada. Reconocía que ella, y solo ella, era la culpable del carácter levantisco de su nieta por haberle inculcado, desde pequeña, que debía pensar por sí misma y guiarse por la vía de la rectitud moral. Pero no era el momento de hacerse reproches y sí de hacérselos a ella, a su nieta, que se perdía en impulsos verbales. Porque una cosa era mostrarse todo lo independiente que la ley de los hombres le permitiera, y otra oponerse a los Príncipes de la Iglesia. Más de uno había acabado en la hoguera por palabras de menor calibre que las que Elena acababa de lanzar al cardenal.

—Sube a tu cuarto. Tu baño debe de estar ya preparado. Mandaré que te suban una bandeja con comida —le ordenó con voz cortante—. Y mira si quieres llevarte algo en particular de Los Arrayanes, ya has oído a tu esposo: salimos al amanecer.

—No voy a ir a ninguna parte sin él —se cerró en banda la joven.

—¿Ahora me vienes con esas, cuando hasta ayer querías perder de vista a Diego?

—Las cosas... han cambiado —confesó algo sonrojada—. Y no me iré si él se queda aquí.

—Irás. Claro que irás —le plantó cara su abuela, empujándola hacia la escalera—. O como me llamo Camelia Lawler que haré todo cuanto esté en mi mano para que acabes en un convento de por vida.

Elena estaba lejos de rendirse, pero estaba cansada y decidió callar de momento. No pensaba doblegarse a las decisiones de Diego, mucho menos a las de la anciana. ¡Por encima de su cadáver! Ella se quedaría en Los Arrayanes junto a su esposo, y punto final. Se perdió escaleras arriba dejando a una Camelia pensativa, con el gesto torvo y la preocupación acelerando los latidos de su atribulado corazón.

El baño, en efecto, la esperaba ya. Agradeció a la criada sus atenciones, la instó a que saliera del cuarto, se deshizo a zarpazos de sus ropas y se metió en la tina de madera. El agua caliente fue calmando poco a poco sus doloridos músculos y su mal talante. No ingirió nada de la comida que le subieron un poco después. Y cuando bajó al salón, dispuesta a enfrentarse de nuevo a las órdenes de Diego sobre su precipitada marcha, se encontró con una noticia que no esperaba: su marido daba instrucciones de que preparasen también su equipaje.

32

El cambio de planes había sido provocado, sin Elena saberlo, por sendas cartas recibidas minutos después de que ella subiera a su habitación. Tanto Diego como Cisneros se retiraron al despacho del conde, apresurándose a abrir las misivas e intercambiarlas tras conocer los respectivos contenidos.

Diego leyó la que el cardenal le entregara, remitida por mediación de su secretario de Estado, al que el anciano encomendó, le supliera durante su estancia en Trujillo. De letra clara y redonda, muy cuidada, su encabezado rezaba: «Excelentísimo y Reverendísimo Señor...» Rodaron sus ojos por las frases concisas que, en esencia, guiaban a la pista que aguardaban hacía días, aunque ya conocieran el complot contra el infante Fernando al que doña Germana de Foix, firmante del pliego, hacía referencia dirigiéndose al muchacho como «el Peón». No era el aviso de la maquinación lo importante, sino el lugar que mencionaba, donde, supuestamente, se encontraba el hijo de la reina Juana, aunque solo por aproximación, sin detallar dónde exactamente. La viuda de Fernando el Católico sugería a Cisneros alguna población cerca de Santander, pero no podía concretar más.

Por su parte, Cisneros dio buena cuenta del informe de los agentes de Diego, que sí habían conseguido situar la población, con la certeza ya de que las postreras palabras de Balbina Cobos habían sido escrupulosamente sólidas: el Infante se alojaba en casa de los Collado, en Reinosa.

—Estamos pues en la buena senda —murmuró devolviendo su carta a Diego, con el ánimo fortalecido por un lado y la congoja de la amenaza por acabar con el Infante por otro, una pesadilla real y no un desvarío de su soberana.

—Lo estamos, su Eminencia —asintió el joven, con la misma zozobra en su rostro que la que enturbiaba el del cardenal—. Ya os dije que mis hombres no nos fallarían.

—¿Tienes alguna relación con los Collado?

—No ahora. Iyán y su esposa, doña Casilda, mantenían bastante contacto con mi padre cuando yo partí de aquí. Hace tiempo que no les veo, pero les tengo afecto. Siempre han sido un baluarte de la reina Juana, defendiéndola incluso cuando el Rey, su padre, mandó que penara en Tordesillas.

—Razón de sobra para que hayan dado asilo a su hijo entonces. He de partir de inmediato, Diego.

—No. Seré yo el que vaya a Reinosa. Fuertes y Cervera, como habéis podido leer, se me unirán allí.

—No podrás librarte de mí tan fácilmente, hijo —se empecinó Cisneros—. Fue a mí a quien la Reina solicitó ayuda y, con el beneplácito del Altísimo y de la Santísima Virgen María, llegaré hasta el final.

—¡Por todos los demonios, Eminencia!

—¡Diego! —Frunció el ceño el Regente por el grueso de sus palabras.

—Disculpadme, pero es que vuestra terquedad me crispa los nervios. Miraos, por el amor de Dios. Estáis enfermo, agotado. Sinceramente, no supondríais más que una carga para mí si quiero llegar a tiempo de salvar al Infante... dando por sentado que no haya sido eliminado ya.

—La Providencia no lo quiera.

—Haremos el viaje juntos hasta el camino hacia Toledo, es lo único que os concedo. Una vez allí, vos, doña Camelia y Elena iréis por vuestro lado y yo seguiré hacia Reinosa. No pienso ceder.

—¿Recuerdas, muchacho, que aún soy el Regente? —se envalentonó Cisneros.

—¿Recordáis, vos, Eminencia, que vinisteis a Los Arrayanes recabando mi ayuda? Os he servido con fe ciega y pienso seguir haciéndolo, pero no consentiré cargar con un par de ancianos, volved a disculparme, y una mujer que me distraería de mis fines.

Los ojos del cardenal se avivaron haciéndose eco de su último comentario.

—¿Así que tu esposa te distraería? —En sus labios anidó una mueca irónica—. ¿Cómo van las cosas entre vosotros? ¿Se han arreglado vuestras diferencias?

—Más o menos —repuso Diego, esquivo.

—¿Qué sucedió anoche en Trujillo, muchacho? —Supo captar el anciano el rostro huidizo del joven y alzó la mano retirando la pregunta—. No me lo cuentes.

—Mejor que no. Las actividades maritales no deberían solazar los oídos de los servidores de Dios.

A pesar del turbador momento que vivían, Cisneros no eludió una franca risa. Le alegraba —y cómo— que aquellos dos espíritus arrogantes hubiesen limado asperezas, aunque imaginaba que la vida de Diego junto a su joven y obstinada esposa no iba a ser un camino de rosas, ni mucho menos.

—No sé si darte la enhorabuena o acompañarte en la pena —se burló—. La lengua de Elena Zúñiga es tan filosa como la de su abuela y tiene incluso peor genio.

—Os pido perdón por su salida de tono de antes, Eminencia. Achacadlo, por favor, al miedo padecido encontrándose rodeada de exaltados que muy bien podrían haber acabado con nosotros.

—¿Miedo esa muchacha? No te burles de este pobre viejo.

—Es una mujer con agallas, eso sí, que en ocasiones se sale del guion femenino.

—Sí. Una mujer con más redaños que un ejército.

—Eso dice siempre doña Camelia —asintió Diego con una sonrisa.

—Otra que tal baila. Me ha secuestrado mientras habéis estado ausentes. Se empeña en cuidarme como si fuera un niño de teta y está dispuesta a ser mi guardia personal durante el viaje.

—No podríais tener mejor centinela.

—Ciertamente —suspiró Cisneros, al que se le había animado la mirada—. Si las cosas hubieran sido de otro modo... Si yo no hubiera ido a Roma... Si no hubiera sido fiel a mis votos...

—Demasiados condicionantes, Eminencia.

—¿Verdad? —Dejó que un suspiro le flotara en el

aire—. En fin, no se puede volver a andar el camino recorrido. Tomé mi vereda como ella, tras mi ordenamiento, tomó la suya. Ahora no somos más que dos carcamales, próximos a la muerte, unidos por una vieja amistad. A veces, Diego, la amistad es preferible al amor. Al menos, no da tantos quebraderos de cabeza.

Asintió el joven, sabedor de lo que su esposa Elena había supuesto para él desde el día mismo de la boda: eso precisamente, una complicación, que, por fortuna, se había resuelto. A partir de allí, todo sería muy distinto. Él la amaba y ella le correspondía, por tanto nada podía enturbiar su relación en adelante. Había hecho regresar a la niña traviesa y tratable de otros tiempos, así se lo había demostrado Elena en la intimidad en casa de Unzaga, durante la cabalgada hasta la hacienda, mostrándose accesible y confiada no solo haciendo el amor, sino sincerándose en sus afectos y comentarios. Aquella otra Elena, díscola y porfiada que se enfrentaría a quien se le pusiera por delante, era agua pasada. O eso quería pensar en lo tocante a él. Discutirían como cualquier matrimonio, pero sin desafíos, nunca con la vehemencia con que se había guiado frente al cardenal.

Diego Martín y Peñafiel, conde de Bellaste, se confundía de medio a medio.

33

—Los aparceros necesitarán ayuda para volver a levantar sus casas.

—Los aparceros pueden apañárselas solos.

—Habrá que dar cobijo a las mujeres con criaturas que se han quedado en la calle.

—Unzaga y mi abogado se encargarán de ello.

—Hay que repartir alimentos.

—Guillermo se queda al cargo.

—Debemos...

—¡Basta ya, Elena! —Diego golpeó la jamba de la puerta con tal ímpetu que se lastimó la mano—. ¡Mierda!

—Eres un zoquete.

—¿Zoquete? —Se volvió hacia ella echando chispas por los ojos. Llevaban más de media hora discutiendo. Bueno, no. Discutía ella, obstinándose en llevarle la contraria—. ¿Me llamas zoquete cuando tú eres una intransigente? ¡Esta sí que es buena!

—Diego, entiéndelo. No puedo abandonar a esas gentes ahora, no después de lo que ha pasado —intentó ella, una vez más, hacerle entrar en razón—. Son tus paisanos, los hombres y mujeres que labran nuestras tierras, que cuidan nuestro ganado. Nada puede tener ahora prioridad salvo ellos.

Diego reprimió su enojo. Detestaba volver a las andadas con Elena superado el hándicap de que ella consintiera, después de tanto tiempo, comportarse como una verdadera esposa. No estaba dispuesto a dar marcha atrás, a tenerla de nuevo enfrente. Pero tampoco iba a dar su brazo a torcer en aquel asunto: él debía partir de Los Arrayanes y ella lo acompañaría, aunque fuese atada de pies y manos. Solo pensar que se quedara en Trujillo afrontando el riesgo de que se reanudase otra revuelta le ponía enfermo. La amaba demasiado, tanto como para plegarse a sus caprichos, pero no hasta el punto de poner en peligro su vida.

Se acercó a ella, que le daba ahora la espalda, fija su mirada en la extensión verdosa de los olivares. Rodeó su cintura con ambos brazos y apoyó la barbilla en su hombro para besar su oreja. De inmediato, su aroma envolvente y el contacto de su piel impulsaron su virilidad.

—Tesoro —le dijo muy bajito—, eres lo más preciado para mí. Quedarte en Los Arrayanes supone asumir un riesgo que no estoy dispuesto a correr y yo debo marchar.

—Sí, ya lo has dicho, a Talavera de la Reina, desde donde nosotros seguiremos camino, me lo has repetido mil veces, Diego. —Se volvió entre sus brazos y lo encaró—. Y luego, ¿adónde piensas ir?

—Mi destino final no te interesa, Elena. Es mejor que no lo sepas por tu bien.

Ella arqueó las cejas con un mohín que destilaba ironía.

—¿Eso crees?

—Eso es lo que debe ser.

—Claro. Ya te entiendo. —Se escabulló de su abrazo alejándose hacia el otro lado del cuarto—. Soy solamente tu esposa. Y a una esposa no hay que darle explicaciones. El amo y señor hace y deshace a su antojo, y a mí, pobre infeliz cuyas metas deben ceñirse a tus deseos, lo único que me queda es obedecer y callar.

—¡No digas memeces! Nunca antes, que yo recuerde, has aceptado de buen grado comentarios o instrucciones que no se ajustaran a tus criterios. O son injustas, o hacen de menos a la mujer, o no se te consultan... El caso es que siempre tienes algo que oponer.

—Así pienso seguir, por mucho que te fastidie. No me das una explicación convincente por la que debamos salir a toda prisa, abandonando a su suerte a los campesinos. Ni me dices la razón por la que debes seguir viaje solo. Ni siquiera te dignas aclararme si es como consecuencia de las misivas que tú y Cisneros habéis recibido. ¡No se te ocurra negarlo, Diego! —Le cortó antes de que él pudiese argumentar—. Fue el mismo Savatier quien me comentó que tal vez esas cartas fuesen la causa de nuestra partida intempestiva y el cambio de tus planes originales.

—Savatier tiene la lengua muy larga —rezongó él.

—Y tú, demasiado corta para según qué cosas. Soy tu esposa, Diego. Me resistí, ciertamente, amparada en mi orgullo de mujer ninguneado por acuerdos masculinos. Lo admito. Pero he cumplido con mis deberes y merezco un respeto.

—Así que acostarte conmigo ha supuesto para ti cumplir con un deber —replicó Diego, encorajinado, oscureci-

217

dos sus ojos ambarinos, sin calibrar bien lo que decía—. Penoso deber, he de suponer. Pues bien, entonces estamos a la par, señora mía.

Ella creyó que no era la ocasión de responder, le dio la espalda y se fue. Bregar con Diego ya era complicado; hacerlo ahora, una temeridad que solo podía distanciarles. Le dolió, como una cuchillada, que él pensara que se le había entregado únicamente por cumplir con un rol, que valorara tan poco el amor sincero que la había guiado. Y era inaceptable que le hubiera espetado que acostarse con ella le había resultado una tarea penosa. Sintió el alma mutilada y las lágrimas acudieron a sus ojos, pero irguió la cabeza y se negó a derramar una sola. Se había confundido con Diego. La había engatusado con su palabrería de seductor hasta conseguir llevársela a la cama, y ahora, cumplido un objetivo del que tal vez pudiese llegar el heredero que deseaba —propósito al que él hizo referencia más de una vez—, no tenía apuro en dejar claro que su matrimonio no era otra cosa que un contrato. Quería salir de allí, echar a correr hasta los confines de la hacienda, donde nadie la encontrase, donde llorar a solas la herida de su desgarrado corazón, pero se obligó a caminar despacio conteniendo la indignación. ¡Al diablo con Diego! Le había fallado una vez y había vuelto a hacerlo. El paso del tiempo fue un ungüento para que le perdonara su traición con aquella mujerzuela, a fin de cuentas no eran nada en aquel entonces y los hombres tenían sus necesidades. Pero no podía perdonarle ahora. Ya no era la adolescente que bebía los vientos por su príncipe azul, sino una mujer hecha y derecha con recursos para contestarle con igual escarnio.

Tenía cosas mejores que hacer que perder el tiempo discutiendo con Diego, permitiendo que él pisotease sin compasión la genuina candidez que le había otorgado.

La primera de todas: encargarse de la intendencia para hacer llegar alimentos a los afectados de la revuelta.

No llegó a abrir la puerta. Diego volvió a estrecharla a su tórax rodeándola con sus brazos, consternado de dejarse arrastrar por un arrebato que le hizo expresarse en términos que no sentía.

—Elena, por favor, hablemos.

—No hay nada de qué hablar, Diego. Has dejado cristalino en qué crees que se basa esta unión: una entrega que es pura pantomima, al menos para ti.

—Estás equivocada. De verdad que siento haberte hablado así. Mírame... —Ella se resistía, con la cabeza baja, mordiéndose los labios para reprimir un sollozo—. ¡Mírame, Elena! —La sujetó por los hombros obligándola a darse la vuelta enfrentándose a su rostro por cuyas mejillas discurrían dos lágrimas, dos puñaladas en el corazón de Diego, que latía recriminándole ser el hombre más mezquino de la tierra. Le acarició el rostro y besó aquellos surcos salados que su cólera incontenida había provocado, y la abrazó, aferrándose a ella.

—Déjame —pidió ella casi con un lamento.

—No. Nunca. Ni aunque pasen mil años. Ni aunque el mundo se desintegre podría dejarte. —Tanteó su boca con un afán nacido de la culpa, besándola con toda la pasión que brotaba de su alma enamorada hasta que se percató de que ella se relajaba entre sus brazos y se afianzaba a él—. ¿Va a ser siempre así, tesoro? ¿Vamos a continuar guerreando sin tregua hasta que lleguemos a ancianos de cabello encanecido, sin dientes y socorridos por un bastón en nuestro renqueante caminar? —preguntó, socarrón.

Ella elevó sus ojos hacia él. Aún lloraba en silencio, pero ya no aparecían tristes. Sorbió, se secó las lágrimas con el dorso de la mano y surgió su vena pícara que derrumbó el disparate del malentendido.

—¿A eso llegaremos? No te imagino sin dientes, Diego.

La carcajada que soltaron al mismo tiempo barrió de un plumazo las nubes de tormenta y después se buscaron sus bocas sedientas hasta perder el aliento. Se separaron encendidos, pero en las circunstancias presentes se imponía la cabeza fría. Ella la apoyó en el pecho de él, que afirmó con buen humor:

—¡Dios mío, este matrimonio va a ser más agitado que la conquista de Orán!

Elena friccionó la nariz sobre el justillo de cuero de su marido.

—Qué sabrás tú de esa contienda...

—Un poco, puesto que participé en ella, mi vida. Allí fue donde me regalaron las bonitas cicatrices que luzco.

Recordó Elena haber notado ciertas rugosidades cuando le tuvo desnudo junto a ella. Lejanas heridas de sus años de milicia. No quiso preguntar acerca de esas marcas porque solo pensar en la guerra y el dolor que ocasionaba le derrumbaba el ánimo.

—Prométeme que nunca más te pondrás en peligro. Que nunca más arriesgarás tu vida.

—Pides lo que no puedo darte, mi amor. Soy un hombre de acción y estaré allí donde se me reclame para defender a mi tierra.

—Pero yo te amo. No quiero perderte.

—Lucharía con el mismísimo Lucifer y regresaría sano y salvo del averno sabiendo que me espera una mujer como tú, Elena.

—Engreído.

—Escéptica.

—Temerosa, si se trata de tu vida.

El candor con que se lo confesó inflamó el corazón de Diego. Demandó de nuevo apasionadamente sus labios, los mordisqueó, deseó poseerla allí mismo, sobre la alfombra, tomarla una vez más haciéndose perdonar las hirientes palabras pronunciadas en un arranque de enojo. Sí, estaba en las nubes hasta que Elena, separándose de él, clavó sus azules ojos en los suyos y preguntó, insistiendo en su porfía:

—Bien. Y ahora, ¿qué es tan importante para marcharnos a toda prisa de Los Arrayanes?

—Elena...

—¿Es tal vez porque os urge perpetrar un asesinato?

34

Al conde de Bellaste se le disparó el ritmo cardíaco mientras escuchaba la pregunta de su esposa, pasando rápidamente del sobresalto a la desconfianza. Desde luego, tenía que haberle oído hablar con Cisneros, pero ¿hasta dónde llegaba el alcance de la escucha? Ella observaba las distintas emociones que surcaban su rostro con una ceja arqueada y la atención perseverante.

Se apartó haciendo crujir los nudillos, meditando qué podía contestar. Si le contaba qué tramaba con el cardenal, aparecería su lado más voluntarioso y pediría sumárseles a ambos en su empeño de salvar al infante Fernando. Y eso sí que no. Aunque hubiera de encerrarla bajo siete llaves su esposa no tomaría parte en aquel turbio asunto. Tanteó pues el terreno enfangado que pisaba antes de preguntar:

—¿A qué te refieres, Elena?

—Oí parte de una conversación tuya con su Eminencia, Diego, así que no te hagas el desorientado. Aunque no fueron más que retazos, tu modo de esquivar mis ojos acaba de confirmarme que tramáis algo, y quiero saber qué es.

—No sabes lo que dices.

—Se trata de nuestro soberano, don Carlos, ¿no es cierto?

—¡Pero qué...!

—Hay una maquinación para matarlo y Cisneros y tú formáis parte de ella. —Le lanzó el envite de su sospecha pidiendo al Cielo estar confundida.

Diego no salía de su estupor. Elena no solo había escuchado más de lo prudente, sino que, además, les tildaba al cardenal y a él de traidores. Casi le entraron ganas de echarse a reír. Casi. Pero no era un juego, era una fuga de información, que, de filtrarse en oídos diferentes a los de Elena, podía costarle el cadalso.

—No puedes estar más errada, señora mía —le dijo manteniendo firme su mirada en ella.

—Instrúyeme entonces —repuso la joven acercándosele, poniendo una mano sobre su pecho, donde sus dedos tantearon el medallón bajo la camisa—. Hazme ver en qué clase de conspiración estáis metidos. No me han pasado por alto las idas y venidas de mensajeros, vuestras reuniones secretas, vuestros cuchicheos cuando pensabais que nadie os veía. Por tanto, no me niegues la evidencia. Exijo saber qué te guía y no voy a salir de este cuarto hasta que me lo expliques, Diego. Te amo. Como a mi propia vida. Pero no quiero ser la esposa de un hombre que traiciona al Rey, por mucho que abandonarte me cueste morir de pena.

Diego se mesó los cabellos. Ella le juraba amor y, a la vez, le amenazaba con dejarlo si tejía una trama tan deshonesta. En ese instante, la amó más que nunca. Por la bravura con que defendía sus principios, por no renunciar a sus ideales políticos. Ni siquiera el amor conseguiría doblegar el espíritu inquebrantable de Elena Zúñiga, y él se sintió el hombre más afortunado del planeta por ser su esposo.

Era ya impensable mantenerla al margen. Pero hacerla partícipe de la situación implicaba ponerla en peligro, porque ella, terca como una acémila, se negaría a quedarse al margen del problema.

La atrajo hacia él, abrazándola, y dejó escapar el aliento, derrotado.

—No es don Carlos quien se encuentra en peligro de muerte, Elena. Es su hermano, el infante Fernando, al que pretenden asesinar para cortar de raíz la amenaza de presuntos derechos dinásticos y que ciertos nobles reclamen el trono para él. La reina Juana solicitó la ayuda del cardenal para evitarlo y su Eminencia ha buscado al que considera su mejor hombre para borrar del mapa a los traidores: yo.

35

Partieron de Los Arrayanes con las primeras luces del amanecer del 13 de octubre, tras haber rezado una oración en la que rogaron por el viaje, y a la que se sumaron los sirvientes.

Densas nubes negras cubrían el horizonte cuando la pequeña caravana se puso en marcha. El aire, helado, soplaba por el olivar, zarandeaba los árboles convirtiendo sus ramas en figuras fantasmagóricas, arrastraba la hojarasca que cubría los caminos y se colaba por entre los ropajes impunemente.

Elena, con un presentimiento aciago, acomodó mejor la manta de piel que cubría las piernas de su abuela, retrepándose después en el asiento que ocupaba y tapándose a su vez. En esos días destemplados y húmedos, con el cielo amenazando que la lluvia torrencial cayese sobre ellos, lo que podía suceder más pronto que tarde, era cuando la joven agradecía protegerse con varias capas de ropa. No había hecho ascos a unos calzones de lana, varias enaguas y un vestido de tela gruesa al que acompañaba una chaqueta forrada. Tampoco a la capa, por descontado, en la que ahora se envolvía lamentando, sin embargo, tener los pies helados. El brasero que uno de los criados había colocado a un lado, cerca del mamparo del carruaje, aún no había conseguido caldear el ambiente debido a que la baja temperatura se filtraba por los resquicios de la carrocería y por entre las cortinillas cerradas.

Doña Camelia, que había dormido mal según le dijo, como cada vez que estaba próxima a emprender un viaje, hacía esfuerzos por no cerrar los ojos, pero acabó sucumbiendo al sueño apenas una legua después de dejar atrás las propiedades de los Bellaste.

Elena entró entonces en una fase de cavilaciones a propósito de lo acontecido el día anterior. Tampoco ella había pegado ojo, pero por motivos muy distintos a los de su abuela: Diego la había mantenido despierta durante buena parte de la noche, a lo que ella se prestó gustosa. Su rostro se dulcificó recordando los besos, las caricias, los susurros y las promesas de amor que habían intercambiado. Luego, cuando su esposo se quedó profundamente dormido, abrazado a ella, pegado su tórax a su espalda, ella no consiguió abandonarse al descanso. No se le iban de la cabeza las explicaciones de Diego sobre el complot que estaban perpetrando contra el hijo de la Reina. Se preguntaba en qué podría ella ser útil. Porque estaba dispuesta a serlo. Cualquier cosa menos dejarlo solo en aquella caza contra el malnacido vizconde de Arend, que, según le confesase, tenía toda la pinta de estar tras el atentado. Quisiera Dios que el Infante se encontrara bien y pudiesen, como tenían previsto Cisneros y Diego, enviarlo al amparo de su abuelo, Maximiliano, aunque ello significase alejarlo de España.

¡Qué mezquina había sido sospechando que su marido pudiera estar en la trama de asesinar al Rey! Mezquina, egoísta, tortuosa y maliciosa, sí. No economizó adjetivos vergonzantes contra sí misma, verdaderamente arrepentida de haberlo prejuzgado sin más, y así se lo había dicho a Diego. Y él, como el hombre íntegro, benévolo y generoso que era, había quitado hierro a la cuestión, diciéndole, además, que la amaba por ello, por defender sus convicciones de honor y lealtad. Su indulgencia la emocionó. ¿Cómo era posible no amarlo? Daría su vida por él si llegara el caso, porque ya no era factible imaginar la existencia sin Diego.

El que era el centro de sus pensamientos hizo a un lado la cortinilla del coche, conduciendo a su caballo a la par, y se interesó:

—¿Estáis cómodas?

Doña Camelia protestó en sueños y Elena se puso un dedo sobre los labios.

—Muy bien —le susurró en voz queda—. ¿Y tú?

—Tengo helado hasta el trasero —aseguró él en el mismo tono quedo—. El invierno se nos ha echado encima antes de tiempo.

—¿Su Eminencia?

—El cardenal duerme, bien arropadito en su carruaje, como un bebé. Todo el mundo en nuestra pequeña caravana está bien.

Elena se dio cuenta del grado de tranquilidad que le transmitía su esposo y sus ojos se pasearon por su rostro, repitiéndose que era el hombre más guapo del mundo. También el más orgulloso, arrogante, impúdico y...

—Si mejora el tiempo me gustaría que cabalgases conmigo —interrumpió él sus pensamientos.

—No tengo intención de alejarme de este brasero.

—¡Qué delicada!

—Y tú, qué loco.

—Loco enamorado, en todo caso.

Doña Camelia medio refunfuñó cambiando su postura, aunque no abrió los ojos.

—Lárgate, vas a acabar despertándola y no ha dormido bien esta noche.

—Tampoco yo he dormido demasiado, mi señora.

—Por tu culpa.

—Más bien por la tuya, bruja —le guiñó un ojo.

—Vete de una vez, acabarás por despertarla —le sonrió la muchacha mirando a la vez de hito en hito a su abuela, sintiendo que la alusión a los momentos compartidos zarandeaba su corazón.

—Apuesto media hacienda a que ya lo está, pero disfruta con nuestras invectivas. ¿No es cierto, doña Camelia?

—¡Diego, por favor!

La buena señora abrió un solo ojo que fijó en su nieto político. Chascó la lengua, se arrebujó en la manta y rezongó:

—Tórtolos insensatos. O te marchas o entras, muchacho, porque me estoy quedando helada, y tú, sin ver dónde pone las pezuñas tu caballo, acabarás yéndote al suelo.

Diego había dado en la diana: estaba oyéndoles, así que se echaron a reír ambos de buena gana.

—Nos vemos más tarde, señoras.

—Diego, aguarda. ¿Cuál es nuestra primera parada?

—No quiero que hagamos noche en pueblo alguno hasta alejarnos lo suficiente de Trujillo. Pernoctaremos en cualquier posada del camino y luego seguiremos ruta hacia Castañar de Ibor.

Elena asintió, le tiró un beso con los labios y le cerró la cortinilla sobre la cara, regocijándose, mientras él farfullaba, y rememorando la sorpresa que se había llevado el día anterior, y que le había causado verdadera conmoción a la vez que un júbilo infinito...

La muchacha encargada de preparar el equipaje de Diego había solicitado su opinión, manifestando no estar segura de si el amo quería llevarse algún que otro objeto personal. Dado que Diego estaba ocupado en dejar todo en orden antes de la partida, accedió ella misma a revisar sus pertenencias, lo que no había hecho nunca hasta ese momento.

El cuarto de su esposo resultó ser sobriamente espartano comparado con el suyo: una cama amplia con baldaquín limitada por cabecero y piecero liso, sin repujado; un armario grande, una cómoda, dos arcones bajo las ventanas y un par de butacas. De uno de los muros colgaba un mapa antiguo y una alfombra verdosa, acorde con la colcha y las cortinas, cubría el suelo. No había más. Se notaba que Diego era poco dado a la ostentación y seguía manteniendo sus costumbres de soldado.

En su afán de echar una mano a la chiquilla eligió un par de artículos de encima de la cómoda y luego abrió el primer cajón. Acaparó su atención un pequeño cofre de madera de cedro labrada cuya tapa coronaba una aguamarina. Pasó un dedo sobre él. Era un objeto precioso, exquisitamente trabajado. Una uña desafió el cierre de plata comprobando que no estaba cerrado. Le extrañó encontrarlo allí porque desentonaba como pieza masculina. ¿Qué contendría? Por fuerza tendría que ser de valor, no era de lógica depositar en semejante recipiente una fruslería. ¿Tal vez una alhaja? Poco probable, Diego era remiso a usar adorno alguno salvo su anillo de bodas y aquel colgante que pendía de su cuello y que parecía no quitarse nunca.

Tentada estuvo de olvidarse del cofre pero la curiosidad pudo más que ella y lo abrió. Dentro, reposaba una bolsa de terciopelo azul. La palpó con un dedo, resultándole esponjosa al tacto. Se encogió de hombros dejándose llevar por su vena fisgona, la tomó y abrió el cordel que la cerraba.

Sus ojos se dilataron por el asombro una vez que cayó en su mano la pieza atesorada en tan suave envoltorio. Le subió un nudo a la garganta. No podía creer lo que estaba viendo. Con dedos trémulos, acarició la trenza de cabello rubio, casi platino, que se fundía con los destellos de la luz de las velas.

—Dios mío... —Se cubrió la boca con una mano, sin dar aún crédito.

—¿Ocurre algo, mi señora? —se interesó la criada.

—No. —Elena recompuso el gesto hasta conseguir esbozar una sonrisa—. Nada. ¿Has terminado ya?

—Todo está dispuesto, señora.

—Llama a un par de mozos que bajen los baúles. Gracias.

Ya a solas en el cuarto, Elena se sentó en el borde del lecho, depositó su trenza —la que Diego, hacía muchos años ya, en una de sus múltiples trifulcas, le cortase como escarmiento— sobre sus rodillas, y se mordió los labios para no echarse a llorar como una tonta. La emoción y un sentimiento cálido envolvió su alma dándose cuenta de lo que significaba. Porque que él hubiese guardado ese trofeo durante todos aquellos años en lugar tan especial, con tanto mimo, declaraba que la amaba ya desde entonces. La culpa por haberse distanciado de él sintiéndose humillada por su adolescente conquista, que ahora comprendía que no había sido más que eso, hizo que se sintiera estúpida. De repente la asaltaba una alegría desmesurada por haber hallado lo que Diego guardaba como una reliquia. Se levantó, volvió a guardarlo con mucho cuidado, dejándolo como lo había encontrado para que él no supiese que conocía su existencia y cerró el cajón. No pensaba decirle que había descubierto su secreto. Un secreto que ella albergaría en el fondo del corazón.

Carraspeó para sortear el amago de lágrimas de felicidad en sus ojos, se abrigó más en su capa y, a pesar del aire frío, reabrió la cortina de la ventanilla, solazándose con la magnífica estampa que conformaba, unos pasos por delante, su soberbio esposo a lomos de su espléndida montura.

36

Los ojos grises de Leonardo Gautiere semejaban dos trozos de hielo fijos en su interlocutor y la cicatriz que le marcaba el rostro ceniciento blanqueaba por la furia que lo consumía.

—¡No eres sino un inútil, Parra! —increpó al otro, que aguantó estoicamente la andanada de su mal humor—. ¿Para qué te pago? Ya deberías haber dado con la madriguera en la que lo tienen oculto.

—No está resultando nada fácil, señor.

—Si fuera sencillo, yo mismo habría hecho el trabajo sin necesidad de contratar tus servicios, impuestos por otro lado, muy a mi pesar. Seguimos a oscuras debido a tu incompetencia. Eliminar al conde de Beltejo antes de confirmar el escondrijo del muchacho ha sido un acto propio de un inepto insensato.

—El criado que nos informó... —trató de excusarse Ginés.

—Otro mentecato torpe que quiso ganarse unas monedas mentando el primer sitio que se le ocurrió. Nos ha hecho perder un tiempo precioso obligándote a viajar hasta Guardo. Espero que, al menos, le hayas dado su merecido.

—Está muerto —asintió—. Acabaremos por encontrar al Infante, señor —aseguró Ginés de Parra, tenso como una cuerda de guitarra, temeroso y, a la vez, harto de ser tratado por el flamenco como un vulgar patán. Pero sabía que debía hacer de tripas corazón y aguantar sus salidas de tono si quería mantener la bolsa repleta. Desde que servía a Poupet y al jactancioso extranjero que tenía enfrente había ganado mucho dinero y no estaba dispuesto a perder la mejor bicoca que hubiera tenido nunca.

—¿Qué piensas hacer para conseguirlo? ¿Peinar todo el norte, desde las costas gallegas hasta los Pirineos? —Retomó el vizconde de Arend el sarcasmo ácido—. Porque solo estamos seguros de que Fernando salió con rumbo norte, ¿no es así? Y eso es tanto como decir «nada».

—Tengo a mis hombres husmeando por aquí y allá, señor. Tarde o temprano daremos con...

—Tarde o temprano, tarde o temprano... —le cortó golpeando enajenado el respaldo de la silla, que se volcó—. Una respuesta por la que debería mandar que pusieran tu cabeza en una pica, Parra. El Rey no tardará en llegar a España y tú me contestas con evasivas. Creo que no te percatas del problema, porque, si yo caigo... te arrastraré conmigo.

—Soy consciente, señor. Lo solucionaré, os lo aseguro. No habrá más fallos.

—¿De verdad? —se mofó.

Dando la espalda al sicario, cruzó la habitación, apoyó un hombro en la madera de la contraventana y, con los ojos cerrados, dejó que su mente vagase más allá de la callejuela en la que se encontraba la posada donde se dieran cita, rememorando el verdor de los campos de su hacienda, allá en la lejana Gante. Nunca debería haber aceptado viajar a la Península, país con un clima que no le era propicio, de gentes mal encaradas y groseras, y con esbirros a su servicio manifiestamente incapaces. Pero nobleza obliga y allí estaba él, separado de sus tierras y de su amante, bregando con el incompetente que, supuestamente, iba a ponerle la cabeza del infante Fernando en una bandeja, y que, por el contrario, seguía tan a ciegas como antes. Sin volverse a mirarlo ordenó:

—Quiero que interrogues a cuanto hombre y mujer viva o trabaje en casa del conde de Beltejo. Alguien debe de saber algo.

—Ya lo hice —respondió Parra a su pesar, recordando que no había sacado nada en claro.

—¡Pues vuelve a hacerlo! —se exaltó Gautiere volviéndose—. Es imposible que ese viejo decrépito actuase solo, alguien debió de ayudarlo a poner a Fernando a salvo. Busca, como el perro que eres —soltó el agravio sin comedimiento—. No me importa cómo lo hagas, pero tráeme respuestas. Ese chico debe estar en una fosa antes de que don Carlos pise suelo español... o serás tú quien ocupe una. ¡Largo de aquí!

Ginés de Parra se tragó el nudo de bilis antes de que se le atascara en la garganta, apretó los dientes, inclinó rígidamente la cabeza a modo de despedida y salió de la habitación.

El de Arend clavó su mirada plomiza en la puerta que se cerraba maldiciéndolo mentalmente. El peso de aquella farragosa misión recaía sobre él, no estaba obteniendo re-sultados y Poupet no era dado a segundas oportunidades, pensó entregándose a sus cavilaciones. Eso sí, el muy des-graciado se quedaba fuera del asunto, en las sombras. Había supuesto que sería cosa de poca monta dar con el parade-ro del muchacho, haciéndolo pasar a mejor vida, pero todo iba de mal en peor, el tiempo apremiaba y seguían sin saber a ciencia cierta dónde se encontraba. El descerebrado de Parra, actuando por su cuenta, dando muerte a Beltejo an-tes de confirmar que realmente el joven se hallaba en aquel pueblo de la provincia palentina, había sembrado el cami-no de dificultades y retrasos.

Enderezó la silla que había volcado en su ataque de mal genio, tomó asiento y se sirvió un vaso de vino. Lo paladeó. Se estaba aficionando a los caldos españoles, única cosa que le agradaba realmente de este país de agitadores.

37

Habían avanzado a un ritmo inmejorable parando solamente lo necesario para dar un descanso a los animales y proveerse de agua fresca. El alojamiento de la pasada noche resultó ser de todo menos cómodo, pero, cansados como iban tras zarandearse durante leguas y leguas en los carruajes o a lomos de los caballos, supuso para la comitiva el equivalente al albergue de un palacio.

Diego había impuesto desde la salida una marcha rápida que él era el primero en aplicarse: se adelantaba a cada poco controlando los inconvenientes del camino, pendiente en todo momento de atenuar las incomodidades del grupo, aunque buscaba sendas apartadas de los itinerarios transitados, atravesando a veces arroyos y bosques. No les daba tregua, pero, tácitamente, todos estaban de acuerdo en que debían marchar a buen paso. El tiempo del que disponían, o la pérdida de él, era su mayor enemigo. Los hombres de la guardia del cardenal —que habían quedado desde que partieran de la hacienda a las órdenes de Diego—, y sus propios hombres, bastante más acostumbrados que ellos a largos trayectos y a las penalidades que suponían, apenas daban muestras de cansancio. No así doña Camelia, que había optado por trasladarse al carruaje de su amigo para vigilar su menguado estado de salud. El Regente, cuyo rostro reflejaba ya las marcas de una enfermedad que lo iba minando a ojos vista, lejos de quejarse por las irregularidades del terreno, soportaba los constantes vaivenes de las sendas elegidas para la ruta y acuciaba al conde de Bellaste a apurar la marcha aún más, como si el destino le susurrase al oído que se le agotaba el tiempo.

Elena cambió el aburrido y monótono carruaje por el lomo de *Hades*. Al menos así, cabalgando al lado de Diego, podía distraerse conversando o deleitarse con el paisaje: robles, alcornoques, enebros y quejigos silueteaban en el camino en contraste con castaños, sauces y fresnos en las lindes de arroyos y ríos, donde se parapetaban garzas, patos salvajes y otra fauna ornitológica, aunque en esa estación del año ni el colorido de las hojas ni el ramaje fuera tan exuberante.

Al atardecer de ese día, Diego le señaló un grupo reducido de corzos que bajaban a beber al riachuelo que abastecía una alquería, pequeño conjunto de casas de labranza y una destartalada granja, lejos del núcleo urbano. Una hembra se les quedó mirando, los ojos vivos, las orejas tiesas, fruncido el hocico, como si se preguntase qué hacía la presencia humana en un territorio que pertenecía a los de su especie. Brincó sobre unas zarzas y desapareció.

—Dentro de un par de horas podremos descansar en Castañar de Ibor —anunció Diego tras ella.

Olvidándose de los animales giró la cabeza para mirarlo. Chascó la lengua, un tanto irritada con él por mostrarse, a pesar de transcurrir todo un día a lomos de su caballo, como si acabara de salir de la cama, tan fresco y relajado, convencida de que ella debía de tener el aspecto de un troll. Notaba la ropa pegada al cuerpo, le dolían los pies, tenía el trasero molido y de su cabello se desprendía de tanto en tanto una ramita —e incluso algún bichejo— después de atravesar el bosque que acababan de dejar atrás, peleándose con arbustos y sarmientos.

—Hice noche allí hace tiempo —respondió—. Creo recordar que la posada se llama Los Mirtos. Francamente, Diego, espero que esté en mejores condiciones que entonces.

—Ha dejado de ser un chamizo insalubre, pierde cuidado. La población ha crecido bastante y ahora existe un par de hospedajes dignos, puesto que, además, es paso de peregrinaje de muchos nobles.

—Mejor, porque me preocupa la salud del cardenal.

—¿Y tu abuela?

Elena le mostró la mejor de sus sonrisas, guiñándole un ojo.

—Camelia Lawler sería capaz de comandar otro viaje a las Américas y volvería como una rosa.

—Como tú —repuso él, zalamero, inclinándose sobre su caballo para robarle un beso fugaz.

—Embaucador. Menudo aspecto debo de tener...

—Fíate de mi buen gusto, cariño: estás preciosa.

—Tú verías atractiva a una mofeta con tal de que llevase faldas.

Diego soltó una carcajada, le tiró otro beso con los labios y se adelantó atendiendo la señal de uno de sus hombres.

El aspecto externo de la posada Los Mirtos, en realidad, no había cambiado demasiado, pero una vez en el interior Elena hubo de admitir que se habían llevado a cabo importantes mejoras: las paredes estaban recién encaladas, era otro el mobiliario y había varias alfombras, aunque gastadas, cubriendo el piso. También las habitaciones presentaban mejor aspecto que el que ella recordaba, pero, por desgracia, solamente quedaban dos libres. Según les informó el dueño del establecimiento, hasta el día siguiente estaba todo ocupado por peregrinos andaluces con destino a Santiago de Compostela. Y en la otra hospedería, todos los cuartos estaban alquilados también. Alojaron por tanto a la guardia en un cobertizo anexo y prepararon las habitaciones libres para ellos.

Elena arrugó la nariz al ver que Diego depositaba su bolsa y la de su abuela sobre la única cama. Pasar otra noche en blanco, sin su compañía, no le hacía la menor gracia.

Él creyó adivinar sus pensamientos, rodeó su cintura y bajó la cabeza para besar su cabello. Ella se reclinó contra él ofreciéndole el cuello, al que el conde prodigó la caricia de sus labios.

—Hueles como un bracero —bromeó.

—¡Diego! —Palmeó Elena su brazo, risueña—. Tampoco es que tu aroma sea a flores que se diga. —Se giró para quedar pegada a él, se alzó sobre las punteras de sus botas y le besó en el mentón—. No me hace feliz dormir junto a mi abuela, bribón.

—No pretenderás que ocupemos este cuarto y hagamos que el cardenal y ella se metan en la misma cama, ¿verdad?

Los labios de la joven dibujaron un mohín, aunque sus ojos chispearon.

—Tal vez en su juventud, antes que él abrazase el clero...

—¡Qué cosas se te ocurren!

—Entre ellos hubo algo, lo presiento, pero no ha habido forma de sonsacar a la abuela. Y su Eminencia no sería el primero ni el último servidor de Dios en saltarse los votos de celibato. Además, bien pudo suceder antes de marchar a Roma, donde le ordenaron.

—A veces me sorprende tu imaginación, esposa irreverente.

—Si de algo no carezco es de imaginación —repuso ella volviendo a solicitar una caricia.

Diego aprovechó su buena disposición para arrebatarle el aliento en otro beso posesivo. Tampoco a él le agradaba pasar otra noche lejos de sus brazos y escuchando los ronquidos del cardenal, pero ya se tomaría la revancha cuando todo acabase. Iba a tener a Elena encamada de la mañana a la noche prodigándole toda la ternura con la que había soñado agasajarla años enteros, hasta hacer que le pidiera clemencia, para compensar el tiempo perdido. Lo abrumaba la necesidad de su cuerpo, lo distraía, lo irritaba a veces porque había momentos en que veía que su voluntad de hombre se volatilizaba. Sus labios discurrieron por las mejillas de Elena, por sus párpados, mientras sus manos buscaban afanosas las cimas de sus pechos, arrancándole una respiración entrecortada.

Como era previsible una llamada a su puerta les separó precipitadamente, boqueando ambos como peces fuera del agua por la vívida pasión que alimentaba su deseo contenido. Diego carraspeó, atusándose el cabello antes de responder:

—Sí, adelante.

—Están sirviendo la cena —les avisó doña Camelia invadiendo la habitación y echándoles una mirada de soslayo—. Me gustaría asearme un poco antes de bajar, si podéis olvidar por un rato los arrumacos.

Lanzándose miradas ávidas, ella un tanto acalorada por las palabras de la anciana y él esbozando una sonrisa pícara, los jóvenes condes de Bellaste se despidieron sin más. Diego las dejó a solas para adecentarse a su vez en el cuarto asignado, donde Cisneros se lavaba ya rostro y manos en una palangana, a pesar de lo cual no consiguió disminuir los notables signos de cansancio.

La cena resultó deliciosa: verduras, pichones asados con manteca y cebolla, y dulce de almendras. Les sirvieron un vino joven que, sin ser nada especial, calentó sus estómagos y aligeró en parte el humor decaído de todos. Elena bebió tal vez un vaso de más, de manera que, cuando se retiraban a descansar, iba ligeramente achispada.

Dejó que su abuela se adelantase para interceptar a Diego en el pasillo antes de que entrara en su habitación, a la que ya Cisneros se había retirado antes de los postres. Coqueta, con ese plus de audacia que le daba la bebida, le pidió:

—Un beso de buenas noches, esposo.

Fue vorazmente complacida con una profusión que le quitó el aire. Ronroneó como una gata pegada al cuerpo de Diego, las manos masculinas discurriendo a lo largo de su espalda hasta quedarse quietas sobre sus glúteos. Acariciando mimosa su cuello advirtió con glotonería la dureza de la excitación masculina contra su vientre y deseó mandar todo al infierno, buscar un lugar en las cuadras o donde fuera, y gozar del cuerpo y las caricias de su esposo.

El sonido de pisadas en la escalera certificaba la presencia de inquilinos, así que Diego se separó de ella, ahogó su protesta con otro rápido beso, le hizo dar la vuelta y, con una palmada cariñosa en el trasero, la instó a irse a dormir.

—¡Demonios! —protestó ella.

Diego simuló no haberse apercibido del repaso admirativo que le lanzó una oronda dama, se sonrió, entró en su cuarto y cerró, dejándose caer contra la madera para controlar los desacompasados latidos de su corazón y otros, en su bajo vientre, bastante más lujuriosos. Hubiera dado medio mundo por haber conseguido una habitación para ambos esa noche, porque un solo minuto alejado del cuerpo de Elena significaba para él un suplicio.

El cardenal ocupaba ya un lado de la cama y parecía dormido. Diego se desnudó despacio, dejando vagar su imaginación, recurriendo a la fantasía de tener a su apasionada esposa entre sus brazos mientras abarcaban sus dedos el relicario con el mechón de su cabello. Sacudió la cabeza para desechar los fogosos pensamientos. Si quería descansar esa noche no debía pensar en ella o sucumbiría al placer onanista. Concentrándose, guio su mente por el trayecto que les quedaba por recorrer, ideando alternativas para ganar tiempo.

38

Atravesaron el caudal del Tajo, en el que barbos y carpas se disputaban el espacio, por el puente de Santa Catalina cuya construcción, obra de fray Pedro de los Molinos, a finales del siglo anterior, había sido encargada por el arzobispo González de Mendoza.

Talavera de la Reina les recibió con el boato de una ciudad que se erigía como el centro de la cerámica del país, cuyos trabajos se admiraban y celebraban. Muestras de la inmejorable labor de artesanía podían encontrarse en la catedral de Salamanca o en el monasterio de Santa María la Real de Las Huelgas.

Al paso de la comitiva, sapos y lagartos, que se mantenían aletargados bajo el tenue sol de la mañana, saltaban al agua o se escabullían entre los resquicios de las piedras cubiertas de verdín. Desde la ventanilla, Elena se entretenía con el discurrir del río donde emergían rocas que la corriente salpicaba de espuma blanca, en algunas de las cuales descansaban garcetas ociosas. Le hubiera gustado disponer de tiempo para disfrutar de los múltiples mercados y plazas que ofrecía la ciudad, visitar el alcázar en el que fuera ejecutada Leonor de Guzmán, madre del rey Enrique II de Castilla, acercarse hasta el monasterio de Santa Catalina o recrearse con alguna de las representaciones teatrales, frecuentes en Talavera. Todo ello en compañía de Diego, a modo de viaje de novios, sin otra preocupación que contarse confidencias, besarse o, simplemente, mirarse a los ojos. Soñaba con una noche más en sus brazos, no podía pensar en otra cosa que no fuera él.

Cisneros no quiso oír nada acerca de alojarse en convento alguno, quería mantener su presencia por donde pasaban en el mayor anonimato posible, para lo cual, antes de emprender viaje, había trocado su púrpura cardenalicia por una sencilla sotana negra y exigido que embarraran el escudo de su carruaje. Diego, pues, les condujo a través de calles atestadas hacia los arrabales, en dirección norte, hasta alcanzar una antigua posada sobre cuya entrada, grabado en un desvencijado y roñoso letrero, rezaba el nombre más absurdo para un establecimiento de tan lamentable aspecto: El palacete dorado.

Afortunadamente, allí sí que quedaban suficientes habitaciones libres. Tomaron, pues, varias para la guardia, una para el cardenal, otra para doña Camelia, y Diego y Elena pudieron gozar por fin de la intimidad de un cuarto para ellos solos. La velada prometía. Ambos imaginaban con anticipación un encuentro entregados, estimulados por un deseo que se manifestaba con cada pequeño gesto, con cada sonrisa o cada mirada disimulada.

La dureza del recorrido, la marcha sin respiro, la climatología, empeñada en dificultar el avance a base de viento y lluvia y, sobre todo, el deficiente descanso, hicieron pensar a Diego, sin embargo, que Elena no se prestaría a juegos carnales; seguramente se quedaría dormida apenas su cabeza reposara en la almohada, porque, durante la cena, no había parado de dar cabezadas, como él mismo.

Ciertamente, Elena se encontraba cansada y así se lo confirmó a su marido un bostezo cuando él le preguntó, a solas ya en su cuarto, teniéndola fuertemente abrazada contra su pecho. Pero para asombro y regocijo de Diego, ella le pasó los brazos tras la nuca, juntó su boca a la suya en un beso largo, ardiente y apasionado, y luego, apenas sin aliento, bailando sus nervios al ritmo del deseo despertado y mirándole fijamente a los ojos le dijo:

—No cantes victoria, soldado. Si pensabas dormir la noche entera, ya puedes ir olvidándolo, porque me parece que aún nos debemos ciertas atenciones personales mutuas, pero después de un baño, ¿no crees?

Diego no quiso que continuara hablando retribuyendo sus palabras aplicándose de nuevo a su boca. ¿Qué hombre no hubiera sucumbido ante tal canto de sirena que, de inmediato, hizo cobrar vida a su miembro?

Conteniéndose, se fueron quitando la ropa despacio, el uno al otro, redescubriendo prenda a prenda sus cuerpos, sellando con los labios los espacios de piel que desnudaban. De mutuo acuerdo, pero sin confesárselo, alargaban el momento de unirse, extasiándose en la visión del otro, satisfaciendo la necesidad de tocarse. Las manos de Elena trazaban caminos de ida y vuelta en la espalda de Diego, le acariciaban los hombros, tanteaban la musculatura de sus brazos, jugueteaban en su cintura y bajaban impúdicas hasta sus nalgas pellizcándolas golosamente. Las de él se perdían en la redondez de las caderas femeninas, ascendían hasta alcanzar la cumbre de sus pechos y allí se quedaban solazándose con el tacto de su carne trémula.

Elena hubiera estado así toda la vida pero Diego, más consciente que ella, se daba cuenta de que el agua de la tina se enfriaba y, por mucho que deseara llevarla a la cama sin más y poseerla hasta el amanecer, ambos eran reos del polvo del camino. Sin darse tiempo a más la tomó en brazos y la metió en el baño, acoplándose luego a ella. Elena dobló las rodillas y se dejó abandonar en el tórax masculino con un suspiro complacido, deleitándose con que su esposo fuera dejando caer el agua sobre sus pechos, caricia húmeda que solo sirvió para excitarla aún más. Se removió contra él, traviesa, activando la virilidad de Diego, que se endurecía al contacto con su trasero.

—¿Te he dicho cuánto te amo? —le preguntaba ella, mimosa.

—Pocas veces a mi entender.

—Te vas a cansar de escucharlo, jactancioso conde de Bellaste. —Volvió la cabeza para besarlo en el mentón al tiempo que su mano derecha lo buscaba bajo el agua, haciéndole contener la respiración.

Diego no pudo esperar más, si se retrasaba acabaría derramándose en la tina. Salió del baño, tomó a Elena en sus brazos y, sin importarle lo más mínimo el reguero de agua que iba dejando, la depositó en la cama. Ella no le dio un momento de respiro, le sujetó por el cabello atrayéndole hasta su boca y le robó el alma a través de sus labios hambrientos.

Hicieron el amor con la misma parsimonia con que se habían desnudado antes, envueltos en un fervor mutuo que entregaba a la vez que exigía, absorbiendo sus alientos, voraces de pasión, sin más horizonte que apaciguar el vendaval de sus instintos.

Cuando por fin llegaron a la cumbre se entrelazaron los dedos, símbolo de la atadura a la que unían sus corazones.

Elena se quedó dormida con los labios levemente entreabiertos, sonrientes, apenas se aplacaron los jadeos de placer. Diego, vuelto hacia ella, la observó durante un rato con el alma henchida de orgullo.

Cubrió el cuerpo de ambos, se acopló al de su esposa, la besó en el cabello y le susurró:

—Buenas noches, mi amor.

Partieron apresuradamente con los primeros albores del nuevo día, aunque previamente hicieron una parada para rezar ante el altar de la iglesia de El Salvador a instancias del cardenal.

Elena, a solas en su carruaje, pues su abuela insistía en viajar junto a su amigo, se envolvió en la capa, atisbando recelosa el paisaje gris que imponía un cielo plomizo, amenazante, con nubarrones oscuros y densos, presto a seguir castigándolos. Al menos, el viento soplaba calmo, tan solo era una brisa fría pero soportable. Como contrapunto, los caminos estaban poco menos que intransitables a consecuencia de las recientes lluvias, hasta el punto de verse obligados a detenerse en varias ocasiones para liberar las ruedas de los coches atrapadas por el barro, o para despejar el camino de troncos y ramajes derribados.

Durante las siguientes jornadas, la rutina fue la misma: viajar por sendas apartadas y descansar allí donde fuera imprescindible, normalmente hospedajes carentes de toda comodidad.

Nadie se quejaba, pero flotaba en el ambiente un afán innegable de llegar cuanto antes a Ávila, donde Cisneros les prometió que pernoctarían en el Palacio Episcopal.

Ahuecando la cortina, a los lejos, distinguió Elena las inmensas murallas a cuyas espaldas cargaban la defensa de la ciudad abulense desde hacía más de cinco siglos. Rodeaban unas treinta y una hectáreas, con dos mil quinientas almenas y ochenta y ocho torres de planta semicircular. El gran bastión de Castilla, como se la llamaba. Alfonso VII le concedió el título de Ciudad del Rey, Alfonso VIII, Ciudad de los Leales, y Alfonso XI, Ciudad de los Caballeros.

Aun a su vista, el humor de Elena era tan poco propicio como el tiempo. Y, ciertamente, no debido a las contrariedades del viaje, sino más bien al encontronazo, uno más, que había tenido con Diego. Se habían enojado y aún les duraba el disgusto. Él ni siquiera había vuelto a dirigirle la palabra. Tampoco a Cisneros, convertido en la diana de su mal humor, porque, sacando fuerzas de flaqueza, se le había enfrentado negándose, y sin darle lugar a réplica, a acatar las órdenes de separarse marchando hacia Toledo. Por si fuera poco, doña Camelia se alió con él, dispuesta a no abandonarlo. Había tratado entonces Diego de que ella dejara la comitiva, asignándole tres guardias como escolta. Fue la chispa que prendió la fogata de la tensión acumulada durante tantos días de viaje.

Elena se removió inquieta en el asiento y cerró la cortinilla de un manotazo recordando las agrias palabras que ella y Diego habían intercambiado...

—Estás loco si piensas dejarme al margen.

—Partirás y punto. Está todo dicho.

—Estás loco.

—No te repitas.

—No lo hagas tú. Antes de salir de Los Arrayanes te dejé claro que iría contigo. Nada dijiste en contra entonces y ahora....

—Lo dije sí, pero, como siempre, tú no escuchaste. Decidí que nos dividiríamos y su Eminencia, tu abuela y tú os dirigiríais a Toledo custodiados por la guardia mientras yo continuaba viaje.

—El cardenal se ha negado a seguir tus planes. Y mi abuela.

—Contra ellos nada puedo hacer. El condenado Cisneros es el Regente, y tu abuela, más terca que una mula. Tú, en cambio, eres mi esposa, me debes obediencia.

—¡Ja!

Diego achicó los ojos y ella supo enseguida que su mirada no auguraba nada bueno.

Si Diego se empecinaba en dejarla fuera de sus asuntos, tendrían bronca.

Si se atrevía a subirla por la fuerza en el coche haciendo separados el resto del viaje, saltaría de él a la menor oportunidad. Si, como la había amenazado, era capaz de atarla de pies y manos, compraría a los guardias, a todos si era preciso, hasta seguir sus pasos.

La expresión de Diego imponía respeto, entrecerrados los ojos, congestionado el rostro. Levantó una mano y por la mente de Elena cruzó fugazmente una aprensiva invasión violenta, por más que nunca creyera que su marido pudiera causarle daño físico alguno.

Nada más lejos de la realidad. Se limitó a abarcar la suavidad de su cuello, su mirada se dulcificó, sus dedos acariciaron la piel de su garganta con la delicadeza que solía para atraerla hasta su tórax, haciendo que reclinase la cabeza en su hombro, hundiendo su otra mano libre en su cabello a la altura de la nuca.

—Elena... ¿qué voy a hacer contigo?

—Llevarme adonde tú vayas —elevó el rostro hacia él, recriminándose por crearle dificultades, pero firme en su propósito de no abandonarlo—. Te has casado conmigo. Somos una sola persona. Recuerda lo que dijo el padre Agustín: en la riqueza y en la pobreza, en la salud y en la enfermedad...

—... hasta que la muerte nos separe —acabó él.

—Pues eso. Se olvidó decir una cosa: ambos nos defenderemos en la adversidad. El uno al otro, Diego. No lo juré, pero lo juro ahora.

—No lo entiendes, mi vida.

—Entiendo que tenemos que llegar cuanto antes a Reinosa si queremos salvar la vida de Fernando, y entiendo también que no debes ir solo.

—Luciano y Rosendo me estarán aguardando. No voy a enfrentarme a esos asesinos en solitario, no soy tan insensato. —La besó con ternura en la punta de la nariz—. Por otro lado, no sabemos si el Infante sigue con vida, puede que a estas alturas ya hayan llegado hasta él...

Elena rechazó su pesimismo. El hijo de la Reina estaba vivo, se lo decía el corazón, que se negaba a someterse al desánimo. Aun así, captó una laguna en la respuesta de Diego.

—¿No vas a llevar hombres de la guardia?

Diego movió la cabeza negando.

—No. Lo he pensando y lo mejor es llegar de incógnito. Un grupo levantaría sospechas.

—El cardenal pondrá el grito en el cielo.

—Por muy cabezota que sea Cisneros, tendrá que convenir que esta locura conlleva riesgos y, para pararla, hay que afrontarlos. Me preocupa, porque no creo que pueda aguantar mucho más, se le escapa la vida a chorros, aunque quiera disimularlo y, mucho me temo que, tal vez, no viva lo suficiente como para recibir al Rey, su anhelo personal.

Las lágrimas humedecieron los ojos de la joven. Cierto que nunca había observado demasiada buena relación con quienes formaban parte de una Iglesia que, no era ningún secreto, constreñía la libertad del pueblo, menesteroso e incluso hambriento, mientras buena parte de sus miembros se manejaban en la abundancia dispensándose todo tipo de placeres mundanos. También lo era que con el anciano Regente no había mantenido un trato excesivamente cercano, pero había llegado a estimarlo y, sobre todo, sabía cuánto le afectaba a su abuela su pésimo estado.

—Tienes razón. Partamos tú y yo solos, a caballo. Podemos cubrir el camino que nos queda en menor tiempo, tu montura y *Hades* son animales jóvenes, fuertes, responderán a una exigencia máxima.

—Las disposiciones del Regente equivalen a las del propio Rey, Elena —dudaba él a pesar de haber tomado ya una decisión.

—Y tú no quieres desobedecerle por nada del mundo, ¿verdad? Estás esperando a que sea él quien se rinda cuando vea que no puede más. Pero no hay tiempo, tú mismo me lo has dicho, y su salud, su vida y la del Infante están en juego.

—Es lo que espero, sí, que asuma que debo ir sin él. Me duele que sea así porque puede pensar que lo traiciono y le juré lealtad, como tú me la juraste a mí.

—A veces debemos priorizar las lealtades si la causa lo requiere.

—¿Como tú lo haces ahora, negándote a partir hacia Toledo?

—Vuelta la mula al trigo —rezongó ella—. Resultas demasiado reiterativo.

—¿Qué hay de tu seguridad?

—¿Qué hay de la tuya?

—¿De qué crees que vas a servirme acompañándome? ¡Por todos los santos! —volvía a endurecer su discurso—. En todo caso, me estorbarías. Tendré que preocuparme de ti, cubrirte tal vez, protegerte en definitiva, y no voy a enfrentarme a unos desgraciados a los que podamos hacer a un lado de un plumazo. —La tomó de los hombros zarandeándola para hacerle entrar en razón—. Deja de porfiar y obedéceme.

—Ni borracha, Diego.

—¡Está bien! Tú ganas. Ejerce de lazarillo si así lo quieres, pero te lo advierto, Elena: al menor contratiempo que nos depare el viaje te empaqueto como un fardo y te mando de vuelta.

—¡Serías capaz!

—Ni te imaginas hasta dónde puedo llegar, señora mía.

—Atrévete y te odiaré mientras viva.

En la mejilla de Diego se contrajo un músculo. ¿Por qué Dios había hecho que se enamorara de una mujer tan belicosa, obtusa, provocadora... y valiente como Elena? Ella quería acompañarlo por un pretendido afán de protección sin reparar que podía producirse justo el efecto contrario, pero ¿podía contradecirla realmente si lo que de verdad pedía su cuerpo era poseerla, devorarla? Elena simbolizaba la muralla inexpugnable que ningún hombre conseguiría escalar por la fuerza, pero no estaba dispuesto a perderla en una aventura a la que perseguía sumarse por una simple rabieta. Aunque se ganase su odio, como ella amenazaba.

—Aborréceme entonces, pero he dicho mi última palabra, condesa de Bellaste: al menor contratiempo...

Elena descorrió de nuevo la cortinilla visualizando, como si estuviera sucediendo en ese instante, la airada retirada de su marido dejando su ultimátum flotando en el ambiente, crispados ambos otra vez, ella con cierta comezón culpable. El portazo que dio él al salir del cuarto le había hecho dar un brinco. No quería estar a mal con Diego, pero tampoco quería prescindir de su personalidad. De chicos batallaban continuamente debido al carácter díscolo de ambos, entonces eran discusiones pasajeras, de críos, pero ahora... Ahora estaba en juego su felicidad. Simplemente, no se arriesgaría a perder a Diego.

Observando su gallarda estampa mientras cabalgaba, se recriminó una vez más ser la causa directa de su enojo, incitándole a la discusión y, por tanto, culpable, al menos en parte. Lo asumía. Tenía que evitar tensar la cuerda para eludir en un futuro situaciones como la actual, que se repetían más allá de lo prudente. Se tragaría sus ínfulas, hasta le pediría perdón con tal de conseguir que volvieran a hablarse con normalidad, que discurriera entre ellos esa corriente que todo lo arrasaba, que hacía que el presente fuera menos lóbrego porque el flujo de la pasión que rezumaban ambos no era comparable a nada. Diego era el hombre al que amaba, por el que iría al infierno o se enfrentaría a un ejército en pleno. No podía permitir que el orgullo que ambos ondeaban por bandera acabara por separarlos porque su alejamiento le partía el corazón.

39

Ningún viajero estaba libre de contratiempos en aquella época, y ellos no fueron una excepción. Cerca ya de las murallas de Ávila se toparon con la adversidad: como aparecidos de la nada, de ambos lados del camino que discurría por la ribera del río Adaja surgieron hombres armados con palos, azadas y horcas, rodeándolos. La intervención de la guardia no logró evitar que uno de ellos saltara hacia la cabina ocupada por Cisneros y doña Camelia, se colara dentro y gritara:

—¡Depongan las armas o mato a estos dos!

Diego levantó una mano para frenar cualquier conato de respuesta de sus hombres, quienes, a una indicación suya, arrojaron al suelo pistolas, arcabuces, picas y ballestas. Erguido sobre su caballo, se negó, sin embargo, a deshacerse de su estoque, y calibró con una mirada helada al grupo de asaltantes que comenzaba a retirar las armas de los soldados apresuradamente. Contó como una docena de bandidos, incluyendo al que estaba dentro del coche. No eran demasiados y sus escasamente efectivas armas no hubieran significado peligro alguno de no haberse relajado. Cierto que habían jugado con el factor sorpresa, pero se atrevía a afirmar que eran vulgares ladrones, probablemente muy necesitados. Sus ropas ajadas, sus rostros barbudos y demacrados y la desesperanza de sus ojos así lo proclamaban. Pero no se engañaba. No por ello suponían un riesgo menor, muy al contrario. Unos hombres agobiados por las penurias, por la necesidad más acuciante, serían capaces de llevar a cabo la más vil de las fechorías con tal de conseguir unas monedas para subsistir. Incluso matar, como amenazaban.

—¡Filiberto! —se oyó el vozarrón del que se había colado en el carruaje.

El conminado, sujetando un par de picas bajo el brazo, se fue aproximando sin perder de vista a Diego ni al arma que este seguía portando a la cadera.

—Hay uno que se resiste a dejar caer su estoque, Sario, pero tenemos el resto de las armas.

—Pues quítaselo.

—Sal y quítamelo tú, si eres lo suficientemente hombre —le conminó Diego, mientras obligaba a su caballo para que avanzara unos pasos.

El llamado Sario asomó la cabeza. A unos pocos metros le desafiaba el conde de Bellaste mirándole de frente, alzado sobre un semental de imponente estampa. Se rascó la espesa barba con la hoja del cuchillo y acabó por soltar una risotada. Bajó del vehículo arrastrando con él a doña Camelia, que, aunque algo pálida, mantenía la compostura. Sin soltar su presa y sin perder de vista a quien se le encaraba, instó al otro viajero a apearse.

—¿Sois un valiente o un loco, caballero? —preguntó a Diego—. Me parece que vuesa merced no se da cuenta de la situación... —Desvió un segundo los ojos hacia el cardenal y frunció el ceño. En la penumbra del coche no había reparado en sus ropas, pero apreciando ahora el solideo que le cubría la coronilla, exclamó—: ¡Mirad lo que tenemos aquí! Nada menos que a un *pater*. Nunca viene de más tener la bendición de la Iglesia en el trabajo. —Rio con ganas su propia broma—. Lucio, empaquetad a los soldados y revisad el otro coche.

El cardenal, con paso inseguro, se alineó junto a doña Camelia, dando gracias a Dios por haber hecho caso a las indicaciones de Diego y vestir como un simple sacerdote.

—Yo que tú dejaría tranquilos a los pasajeros —adelantó Diego otro paso a su caballo hasta que el bandido se vio obligado a retroceder y hubo de alzar la cabeza para mirarlo a la cara—. Si queréis dinero, arreglemos esto cuanto antes y largaos.

—¿Y quién os dice que queremos dinero y no vuestras cabezas? —repuso el otro, envalentonado, echándole una ojeada de arriba abajo—. Vais bien vestidos, tenéis buenos carruajes y mejores caballos. Acabamos de trincar a una pandilla de señoritos. Si algo sobra en Castilla es gente como vos.

Diego se mantuvo firme mientras la guardia era obligada a descabalgar y les ataban las manos a la espalda. Cisneros y la abuela de Elena siguieron la misma suerte, pero él no tenía ojos más que para el sujeto que se aproximaba ya al carruaje ocupado por Elena siguiendo las consignas de Sario. Ojalá a ella no se le ocurriera hacer una de las suyas.

Naturalmente, por la cabeza de la condesa de Bellaste no pasaba ni de lejos resistirse a los facinerosos.

Con el corazón en un puño y en completo silencio había sido testigo de los hechos, mirando por un resquicio de la cortina. Se soliviantó por el modo en que sacaban a su abuela y al cardenal del coche, pero lo que realmente la aterró fue la actitud de Diego, que tachó de provocadora. Pero ahora no iba a preocuparse de si su marido sabía lo que hacía hostigando a aquellos miserables. Tenía que mantener la calma y actuar, pero ¿cómo? Se obligó a pensar a marchas forzadas. Lo primero que hizo fue esconder la daga que llevaba en la cadera en una de las amplias mangas del vestido, tirando cinto y funda debajo del asiento. El arma era pequeña, pero de gran utilidad a corta distancia y no permitiría que se la arrebataran. Sus ojos se pasearon enloquecidos por el interior de la cabina quedándose fijos en uno de los cojines y, sin pensarlo demasiado, se abalanzó hacia él. Era una idea estúpida pero no se le ocurrió otra. Al menos, distraería a los malhechores, incluso era posible que, quizá, gozara de una oportunidad para echar una mano a los suyos.

La puerta del carruaje fue abierta con estrépito en el momento en que Elena se alisaba ya las ropas. El tipejo, al verla, estiró sus labios dejando al descubierto una dentadura mellada y sucia.

—¡Debe de ser la fulana del señoritingo, Sario!

—Tráela acá.

Con un deje burlón en su cara mugrienta, el atracador le tendió gentilmente la mano, que Elena ignoró sin más, bajando por sí misma del carruaje y dirigiendo sus ojos hacia los de su esposo.

Diego contuvo una exclamación. Caminando hacia él, con pasitos cortos, como un pato, haciendo gestos de dolor y sujetándose la parte baja de un vientre exageradamente abultado, Elena cubrió la distancia que les separaba para apoyarse cansadamente en el costado del caballo.

Zigzagueó por la espalda del conde una sensación extraña porque, de repente, se imaginó a Elena realmente embarazada, creciendo en su vientre un hijo de ambos. Momentáneamente perdió la concentración, pendiente de ella y de la magnífica actuación que estaba improvisando, habilidad que por supuesto desconocía. Ella dejó escapar un pequeño gemido y luego se tambaleó, como si estuviera a punto de desmayarse. Diego no salía de su asombro ante tal despliegue de inventiva que casi exigía que saltara del caballo para auxiliarla, aunque sabía que todo era una pantomima. No lo era, sin embargo, para el que llevaba la voz cantante de la banda, que bajó la guardia tomándola de la cintura con exquisito cuidado para ayudarla a sentarse en un tronco. Luego, ordenó a sus esbirros que desvalijaran los equipajes.

Amparándose en el destello de nobleza del ladrón, Diego aprovechó la ocasión espoleándole:

—Os agradezco la gentileza para con mi esposa, pero no olvidaré vuestras caras.

El sujeto respondió con una mirada torva y luego guio sus oscuros ojos al vientre hinchado de Elena, manifiestamente incómodo por el giro de los acontecimientos. Él y sus secuaces eran ladrones, sí, pero no unos desalmados que agredieran a mujeres indefensas, mucho menos en tan avanzado estado de gestación. Si se habían visto obligados a echarse a los caminos era para alimentar a sus familias, pero no eran asesinos. El estado de la hermosa mujer de cabello platino que hizo que pensara en su propia esposa, también encinta, le embargó con un sentimiento tierno que no dejó traslucir.

—Guardad vuestra lengua a buen recaudo si no queréis que vuestra esposa sufra las consecuencias, señoría. —De nuevo volvió su atención hacia Diego—. Solo queremos el dinero.

—Entonces no os molestéis en revisar los carruajes. La bolsa la tengo yo —aseguró el conde haciendo tamborilear los dedos sobre la talega que colgaba junto a su pierna derecha.

—Dejadla caer. —Diego negó moviendo la cabeza de un lado a otro haciendo que el tipejo se adelantara hacia él con cara de malas pulgas—. Oídme bien: no creo que estéis en condiciones de haceros el héroe ante vuestra parienta, llevando además la carga de esos dos que podrían salir malparados, en especial el cura, porque aquí, tanto estos como yo, ya hemos perdido la fe. Entregadnos la guita y nos iremos por donde hemos venido.

Elena, a la expectativa, veía salir volando las bolsas que caían en manos de los ladrones que, a su vez, descargaban los baúles. Aguantó la rabia impotente que le provocaba el ultraje asistiendo a la algarabía de los malhechores ante los vestidos, pasándoselos de uno a otro y gastando bromas soeces. No habían emprendido un viaje de placer, por tanto ni ella ni su abuela habían provisto más de lo necesario los baúles, apenas algunas ropas y joyas, que, evidentemente, no tardaron en encontrar. Sario asintió complacido ante el par de juegos de pendientes y los collares de doña Camelia que le entregó uno de sus secuaces. Sopesó el botín y se lo guardó luego en el interior de su jubón, renegrido y desarrapado.

—Vuestra bolsa, caballero... —insistió nuevamente a Diego.

—Ya tenéis suficiente —volvió a negarse él—. Sacaréis una buena cantidad por la pedrería. Nosotros necesitamos el dinero restante para proseguir viaje y pagar un médico que atienda a mi esposa.

—La plata se queda aquí y no se hable más... —graznó Sario mientras se acercaba a Elena. Ella retrocedió de inmediato mostrando un dramático gesto de terror, clavando sus ojos azules en el cuchillo que le quedaba a escasos centímetros del cuello—. No me obliguéis a violentar desagradablemente a la señora.

La condesa de Bellaste intercambió una mirada apenas perceptible con su esposo, calibrando al tiempo su situación: el hombre la amenazaba, pero sin fijarse en ella puesto que debía de creer que no constituía peligro, atento solo a la respuesta de Diego. Por su sangre bullía un torrente beligerante que le impulsaba a atacarlo, pero había otras consideraciones que la paralizaban, entre ellas el miedo porque, aunque pudiese sorprender al individuo, Cisneros, su abuela e incluso ella misma estaban muy expuestos. Le era imposible cargar con las consecuencias de un proceder disparatado. Se llevó una mano al brazo izquierdo buscando serenidad en el contacto de su arma.

A Diego le sobrevino un vahído recordando la daga que ella llevaba siempre consigo e intuyendo lo que cruzaba por la mente de Elena. Una silenciosa advertencia atravesó sus pupilas y ella retiró la mano de inmediato. Le importaba un carajo que aquellos desgraciados les dejasen en paños menores en medio del camino, pero no podía consentir que ella hiciera una locura, solo imaginarlo lo desquiciaba. Inhaló el aire húmedo llenando sus pulmones, procurando guiarse por la sensatez, aunque lo que más deseaba era saltar sobre aquel mastuerzo y molerlo a palos por amenazarla.

—Permitid que las mujeres y el sacerdote suban a los carruajes y tendréis lo que queréis.

—Sois terco, patrón —chascó Sario la lengua—. ¡Soltad la bolsa de una puta vez o empezamos a degollar a sus hombres!

—Eres muy valiente arropado por tus sicarios y por tener de rehén a mujeres y curas. Me pregunto si serías igual de bravucón enfrentándote a mí a solas. —El bandido, sorprendido por lo que acababa de oír, entrecerró los párpados—. ¿Qué me dices? Pelea cara a cara conmigo, tú y yo solos, sin que nadie más intervenga.

—La lluvia os ha reblandecido la sesera.

—Demuéstrales lo que vales, ratifica tu liderazgo frente a los perdonavidas que te siguen —lo azuzó Diego—. ¿O es que no te atreves? ¿Temes que tus secuaces sepan que no eres más que un despreciable fanfarrón que se escuda en ellos para robar?

Hasta ese día, a Sario no se le habían complicado tanto las cosas. Interceptaban a viajeros, tomaban «prestado» lo que llevaban de valor y luego desaparecían en el bosque. Él no se había erigido en el jefe del grupo, fueron sus hombres los que le auparon como cabecilla porque tenía más arrestos que nadie. Ahora, este petimetre de turno venía a provocarlo, intentaba socavar la confianza colocándole en una situación muy desfavorable. Paseó la mirada por los rostros de su cuadrilla, que, expectante, aguardaba el envite. Si no aceptaba el reto, perdería autoridad; si se enfrentaba a su oponente, podría terminar ensartado en su estoque puesto que le era desconocido su manejo. Sin decidirse del todo preguntó:

—¿Qué ganaríamos nosotros?

—Que no te persiga hasta los infiernos. Si yo venzo, nos dejarás en paz.

—¿Y si perdéis? —preguntó, seguro de sí mismo, colgando el pulgar en la sisa del jubón.

—Podéis quedaros con las joyas y los caballos.

—Todo eso ya lo tenemos ahora —se rio.

—Y mi palabra de que no os denunciaré.

Sario se balanceó sobre los tacones de sus botas desgastadas, midiendo el trato, sabedor de que ya no cabía otra elección salvo aceptar el lance.

—Si conseguís vencerme —dijo al fin—, podéis iros con nuestras bendiciones.

—Tu palabra —le exigió Diego.

—Así sea. Pero hagámoslo en igualdad de condiciones: no sé manejar una espada, así que dejad vuestro acero y luchemos como hombres, si vuestra merced tiene cojones. A cuchillo —dijo esgrimiendo el suyo—, y a la primera sangre.

Diego le hizo ver que se lo pensaba. A su cabeza acudieron las imágenes de un pasado azaroso en tierras infieles, donde había estado a punto de morir a manos del sarraceno que más tarde se convertiría en su amigo saltándose toda lógica cultural y religiosa. Había caído del caballo en una escaramuza golpeándose contra un pedrusco, y su avanzadilla, puesta en fuga por el enemigo, le había abandonado dándole por muerto. Hecho prisionero, no cejó en resistirse a tan aciago futuro, planeando e intentando una y otra vez la huida. Su afán de libertad le había acarreado más de una paliza a manos de sus verdugos, alguna demoledora, pero no por ello desistió. En una de esas tentativas se vio obligado a enfrentarse con Ashraf, el cabecilla, recibiendo un par de tajos en el cuerpo que casi lo mandaron a la tumba. Pero su tenacidad había despertado la admiración del sarraceno, que lo tomó bajo su tutela, lo curó, lo veló personalmente durante su convalecencia, y acabó enseñándole a luchar con daga. No era nada ajeno a él, por tanto, el manejo del cuchillo.

Se quitó el cinto dejando que el estoque cayera al suelo y un bramido de excitación se extendió por entre el grupo de los bandidos, que, posicionando a los prisioneros delante de ellos, formaron un círculo alrededor de los contrincantes.

De alguna parte lanzaron un puñal que Diego cazó al vuelo. Se quitó la capa, se la enroscó en el brazo izquierdo y, ligeramente encorvado, tomando posición para la pelea, se encaró a su oponente.

Cisneros y doña Camelia, con el corazón encogido, eran testigos de primera fila del combate. Ambos sabían que Diego no se arrugaba, pero nunca se podía estar seguro de los derroteros por los que discurriría una pelea así, ni de la fiereza o destreza de su enemigo.

A Elena se le encogía el alma, el pánico le cerraba la garganta y se le nublaba la vista, completamente desconocedora de la habilidad de su esposo con el estilete. Confiaba en él, pero le aterraba la eventualidad de una maniobra del rival que, Dios no lo quisiera, pudiera tener consecuencias fatales.

Enardecido el ambiente por las frases y alaridos de ánimo hacia el líder de los maleantes, a Elena no le quedó más alternativa que observar a ambos rivales. Súbitamente, el bandido arremetió furioso contra Diego, y ella, tapándose la cara, asfixió un grito y rompió a llorar.

40

Diego burló la primera acometida de su rival con una simple finta.

Semiencorvados, ambos se movían en círculo, despacio, las retinas de cada uno fijas en las del contrario, sondeándose, a la espera de un tic que alertara de la inminencia del golpe de cuchillo que vendría, aislándose del jolgorio que inflamaba a un auditorio volcado hacia un solo contendiente porque a la gente de Diego solo le cabía la esperanza.

El bandido arremetió con renovados bríos. Diego se limitó a ladear el cuerpo para esquivarlo, aprovechando la inercia de la embestida para aplicar la punta de su bota a su trasero, lo que levantó algunas risotadas entre la concurrencia y cabreó de veras a su contendiente. Probó este dos nuevas intentonas sin obtener demasiado éxito y entonces Sagrario Carrillo, alias *Sario*, tuvo conciencia real de que tenía frente a él a un tipo de cuidado. De similar corpulencia y estatura a la suya, en el cuerpo a cuerpo no creía haber tenido demasiadas dificultades para alcanzar el cuello al más joven, acostumbrado como estaba a bregar desde que era un mocoso con las tareas más pesadas. Pero aquí la cuestión no era la fortaleza. Se daba cuenta, aunque demasiado tarde, de que le había engañado; no era ningún advenedizo en el manejo del cuchillo. Él no era un primerizo, pero solo lo había ido utilizando para enfrentarse a unos cuantos cabrones que le estorbaban para sobrevivir, y reconocía a un hombre experimentado cuando lo tenía delante. Maldijo haberse dejado embaucar como un pipiolo porque en Diego intuía a un enemigo de cuidado cuyos ojos presagiaban dureza máxima y nula concesión.

Elena, por su parte, angustiada al máximo, no tenía ojos más que para Diego. Se le encogía el corazón con cada embestida del maleante, tenía los nervios a punto de estallar, controlaba a duras penas los gritos que le subían a la garganta para no distraer a su esposo. Y rezaba. Rezaba con todo su fervor por la vida del hombre al que amaba.

Diego se movía con soltura, con elegancia, concentrado únicamente en su defensa. Ridiculizaba a su enemigo, jugaba con él, le hostigaba para que atacara una y otra vez eludiendo luego con habilidad el filo del puñal, frustrando los embates. No era enemigo para él y lo sabía. En aquella pelea solamente podía haber un ganador: él.

El conde de Bellaste no demoró excesivamente el final de la disputa. Aunque más ágil y dotado que su enemigo, también era consciente de que los incansables días de marcha quizá podían pasarle factura si se alargaba más de la cuenta el choque, dando más oportunidades a su enemigo. Con las piernas abiertas, calculó la siguiente acometida y la esperó contraatacando con una suya, aceptando el riesgo de que el filo del puñal rival pasara a escasos centímetros de su pecho, para, con el puño cerrado, golpear sin piedad la nuca de Sario, abatiéndolo. No dudó a continuación en clavar la rodilla izquierda en la espalda de su oponente, inmovilizándolo contra el suelo, agarrarlo del cabello para dejar al descubierto su garganta y apoyar la hoja de su puñal en ella.

Sagrario Carrillo, sin resuello, acogotado y falto de artificios para evadirse de la llave, soltó su arma y palmeó el suelo en señal de rendición.

—A la primera sangre, caballero... —le recordó inmediatamente Diego, mientras le practicaba un pequeño corte en el lóbulo de la oreja.

Se levantó, liberándolo, y Sario se volteó para clavar sus ojos en él. Unos ojos sin rencor, pero con el estupor reflejado en ellos por la facilidad con que había sido derrotado por quien él había considerado un señorito botarate. Aceptó con hidalguía la mano tendida del joven para ponerse en pie, se restañó las gotas de sangre que manaban del corte y recuperó su puñal, que alojó en su cinturón, sin ánimo alguno de volver a usarlo. Movió la cabeza sin dejar de observar el gesto severo de Diego, como si no acabara de creerse lo que había pasado. Luego le dio la espalda y dijo a sus hombres:

—Desatad ya a los prisioneros, muchachos. Nos vamos.

Sin mediar protesta alguna, sus compinches se atuvieron a lo que se les ordenaba.

Solo entonces se atrevió Elena a correr hacia su esposo. Se abrazó a su cuello como si la vida le fuera en ello, liberando en ese instante todo el miedo que la había atenazado durante el transcurso de la pelea. Diego enlazó su talle, se miraron intensamente y, después, unieron sus bocas respirando agitadamente, rompiendo la distancia que el azar había colocado en su camino.

—Te prohíbo que vuelvas a ponerte nunca en un trance semejante —le exigió ella.

—Eso depende. Por un beso como el que acabas de darme, mi amor, lo haría mil veces.

Una vez liberados los guardias y la situación controlada, Elena, con un mohín cómplice, se deshizo del enojoso cojín con que había falseado su estado, sin que Diego hiciera comentario alguno de la artimaña de su esposa. Así, abrazados, veían partir al grupo asaltante en el que Sario sonreía moviendo la cabeza al descubrir la argucia femenina.

Se acercaron para cerciorarse del estado de Cisneros y doña Camelia: él con el ceño fruncido y ella relativamente tranquila, aunque visiblemente preocupada por la persistente tos que hacía doblarse en dos a su amigo.

Una vez que estuvieron los bandidos en retirada y alejándose, cumpliendo la promesa de su cabecilla, Diego llamó a este. Mientras Elena ayudaba al cardenal y a su abuela a regresar al carruaje, dedicándose la guardia a ordenar y cargar los baúles de nuevo en los coches, la joven observó cómo su esposo hablaba con el tal Sario, abría una de las alforjas y le daba algo al forajido. Tomó nota mental para preguntarle más tarde. Lo hizo en cuanto reemprendieron la marcha, durante un tramo en el cual Diego, atando su caballo a la parte trasera del carruaje, le hizo compañía en la cabina.

—Darles algún dinero para subsistir durante un tiempo —satisfizo él su curiosidad—. Son únicamente una pandilla de desamparados que se aferran a cualquier método para intentar sobrevivir, pero desde luego no son unos asesinos.

—¿Cómo lo sabes? Amenazaron con matar al cardenal y a la abuela.

—No lo sé, Elena —admitió Diego—. Es solamente una corazonada. En la mirada de ese hombre no había hostilidad, aunque haya quedado en una posición embarazosa ante sus compinches.

—Ya veo.

—Es un descarado. —Se echó a reír, abrazándola por los hombros—. Hasta ha tenido la osadía de decirme que, si alguna vez vuelvo a pasar por estos lugares, Sagrario Carrillo, que es él, aceptará de buen grado otra bolsa de monedas.

—¿Sagrario? —Se contagió ella de su buen humor—. ¿Ese hombretón se llama Sagrario?

—No tiene nada de extraño, sé de nombres más extravagantes —bromeó—. Ningún criminal facilitaría su identidad sin más, por lo que me inclino a pensar que, ciertamente, son lo que dicen ser: unos menesterosos que no pretendían hacernos más daño que aligerar nuestra bolsa. Ojalá no hubiera tantos como ellos en este país.

Elena asintió corroborando plenamente el estado actual de España. Le acarició el mentón, dando gracias a Dios por tenerlo.

—¿Cuánto tardaremos en llegar al Palacio Episcopal?

—Tenemos las murallas a un paso.

—¿Crees que aún tendríamos tiempo de gozar de un

poco de intimidad antes? —preguntó, pasando un dedo por su pecho con coquetería.

Diego la puso sobre sus rodillas, la besó con fervor y luego prometió, indagando ya sus manos bajo las capas de ropa:

—Te juro que sí, Elena, te juro que sí.

41

—Te dije que no volvieras por aquí —censuró el vizconde de Arend a su esbirro, abrochándose el cinturón de la bata que había echado sobre su cuerpo aprisa, dirigiendo a la vez una mirada a la puerta de su dormitorio, donde, hasta un momento antes, había estado disfrutando del cuerpo voluptuoso de una joven doncella, bastante proclive la muchacha a soportar sus perversas aficiones sexuales por unas cuantas monedas y alguna chuchería.

De buena gana hubiera mandado al infierno al criado que le anunciaba la intempestiva llegada del idiota de Parra. Visionó mentalmente el cuerpo desnudo de la joven, atado a su cama, notando cómo su miembro se encabritaba de anticipación, lo que le indujo a maldecir de nuevo al sicario por retrasarle el esparcimiento placentero.

Parra no quiso dar importancia a la recriminación recibida, venía eufórico para anunciar sin demora:

—Lo tenemos, señor.

Gautiere borró de su mente a la mujer que lo aguardaba

en el lecho, los instrumentos con los que pensaba disciplinarla, y el deleite que iba a proporcionarle.

—¿Dónde está?

—En Reinosa, cerca de Santander. Teníais razón, señor.

—Siempre la tengo.

—Conseguí hacer que hablara uno de los criados del conde de Berlejo, el que hizo de mensajero entre...

—No me interesan los detalles —le interrumpió Gautiere con aspereza, acercándose al mueble de las bebidas. Escanció vino en dos copas y entregó una a Parra, que la ingirió de un solo trago. «Ignorante y burdo para saber apreciar un buen caldo», pensó el noble—. Habla de una vez.

—El Infante se encuentra en casa de un sujeto apellidado Collado, un incondicional de la reina Juana.

El flamenco dejó su copa, se situó tras el escritorio y abrió uno de los cajones. Tiró una talega sobre la mesa y el sonido de las monedas iluminó la mirada de Parra.

—Os quiero allí antes de un suspiro. Gasta lo que sea menester, pero llégate a ese lugar sin pérdida de tiempo y vuelve trayéndome una prueba fehaciente de haber acabado con él. No voy a tolerar un fracaso más.

El sicario se apresuró a guardar la bolsa de dinero en su chaqueta, asintió en silencio y se fue sin volver la vista atrás.

A solas ya, el de Arend volvió a tomar la copa, se recostó en el sillón y estiró las piernas bajo el escritorio, aflorándole una leve sonrisa y trasladando a sus ojos grises un destello maligno. ¡Por fin iba a lograr su objetivo! Después de tantos sinsabores iba a poder paladear el triunfo. El maldito Poupet tendría que tragarse cada uno de los improperios con que le había denigrado y él retornaría a su casa con honor despreciando este país de andrajosos.

Acabó el vino lamentando que sería eso lo único que añoraría de España, se levantó y caminó decidido hacia la habitación, desanudando ya el cinturón de la bata que cubría su desnudez. Cuando abrió la puerta, unos ojos grandes y oscuros le recibieron temerosos.

—¿Por dónde íbamos, putita? —preguntó dejando caer la prenda y acercándose a la cama.

42

Entretanto, un hombre de importancia capital en la Historia de Castilla del primer cuarto del siglo XVI, el cardenal Cisneros, se enfrentaba a la muerte.

El Primado de España, Inquisidor General, confesor de Isabel la Católica y finalmente Regente del reino tuvo que sortear numerosos conflictos políticos en un período muy convulso que abarcó desde la muerte de la Reina Católica hasta prácticamente la llegada a España del futuro rey Carlos I. De sólida formación eclesiástica, anudó a su historial una gran labor cultural que culminó en la fundación de la Universidad Complutense de Alcalá de Henares en 1507, dotándola de una renovada orientación pedagógica.

A pesar de su precaria salud, Francisco Jiménez de Cisneros se negó en redondo a permanecer en el Palacio Episcopal más de una noche y abandonaron, por tanto, la ciudad en la que diez lustros atrás las intrigas de los nobles castellanos representaron la Farsa de Ávila, donde, en una grotesca ceremonia, se depuso a Enrique IV para coronar al jovencísimo príncipe Alfonso, Infante de Castilla y hermano de Isabel.

Continuaron viajando hacia el norte en medio de una lluvia torrencial, sobrevolando en el ánimo de todos la preocupación por la vida del cardenal que, con una contumacia irreductible, insistía en realizar las jornadas en el menor tiempo posible haciendo caso omiso a las súplicas de doña Camelia, de Elena y de Diego, que se turnaban en hacerle entrar en razón.

Templado, imperturbable, pero visiblemente agotado, soportó aún ocho largos días de viaje atravesando tierras castellanas y bordeando la ciudad de Segovia. Sin embargo, hollando ya campos burgaleses, próximos a Roa, sufrió un desvanecimiento.

Diego se culpaba por no haberse opuesto a sus mandatos y haberlo dejado al cuidado médico en Ávila, aun a riesgo de enfrentarse a él. Después de todo, no le iba a excomulgar por eso. Ordenó entrar sin más dilación en Roa, villa que Enrique IV cediera a su favorito, Beltrán de la Cueva, insidiosamente acusado por algunos nobles de ser el auténtico padre de la princesa Juana, apodada por ellos la Beltraneja.

Atravesaron las sólidas y dobles murallas que la reina Violante había mandado construir como defensa a presuntos ataques y pidieron asilo a una familia noble, que, sin saber siquiera que daban cobijo al Regente de España, les instalaron con sumo agrado una vez que se hubo identificado el conde de Bellaste.

Era el 7 de noviembre y sobre la villa caían ya los primeros copos de nieve de un invierno que se adelantaba, dejando un manto blanco sobre calles, plazas y tejados. Un blanco inmaculado que Cisneros no tendría ocasión de ver.

Despertó de un letargo profundo por el frescor que le proporcionaban los paños húmedos que no faltaban en su frente. Lo primero que vieron sus ojos vidriosos fueron otros azules, irritados y enrojecidos por el llanto que no conseguía contener, en el rostro desmejorado, pero aún hermoso, de su fiel amiga. Carraspeó para ablandar una boca como estropajo.

—¿Dónde estamos?

—En Roa —le contestó doña Camelia.

Un largo suspiro escapó de labios del cardenal que, apenas sin fuerzas, apretó la mano trémula de la mujer, ahora una anciana como él, por la que su corazón había latido descompasadamente en sus años de juventud.

—Siempre pensé que moriría en mi lecho.

—No vas a morir.

—Dios me reclama, amiga mía.

—No voy a permitirlo.

La respuesta agitó el exhausto cuerpo del cardenal provocándole un golpe de tos que lo dejó transido de dolor.

—Eso es una blasfemia —la recriminó cuando pasaron los espasmos.

—Pues lo lamento, pero mi conciencia mortal se opone a los designios del Altísimo si pasan por arrancarte de mi lado. Te queda aún mucho por hacer en este mundo tan áspero y cruel, Gonzalo. No puedes rendirte, nunca lo has hecho. Por tu vida y por la misión que tenemos que cumplir: salvar a Fernando.

—Hay un tiempo para cada cosa, Camelia. El mío ya se ha agotado. Ahora le corresponde a... —Se cubrió la boca con el dorso de la mano para sofocar una nueva sacudida de tos. Inhaló aire con esfuerzo, porque se ahogaba, y solo después de una larga y angustiosa pausa pudo seguir hablando, con los ojos húmedos a causa de la convulsión—. Le corresponde a Diego acabar la tarea. Me muero.

—¡No digas eso! —Se echó a llorar ella, reposando su mejilla en el enflaquecido pecho.

—No te aflijas. Me voy contento por haber conocido a la mujer más hermosa de la Tierra y haber gozado de tu amistad... y de tu amor. Y hasta un poco vanidoso, por qué no, de mis logros. —Se tomó unos segundos para recuperar el resuello—. Solo espero que Nuestro Señor no tenga en cuenta mis pecados, que también los hubo.

Su febril mirada vagó por las vigas del cuarto, como si pudiera atisbar, más allá de ellas, el paraíso prometido que anhelaba, sin que le pasaran por alto los costosos tapices que cubrían los muros, las lujosas cortinas en los ventanales y los valiosos candelabros de plata que inundaban el cuarto de una luz amarillenta y mortecina. ¿O era su vista que se apagaba por momentos?

—Objetos triviales por los que a veces vendemos nuestra alma inmortal —dijo en un hilo de voz, sin que doña Camelia comprendiese a qué se refería—. D... D... Diego... —llamó.

El conde de Bellaste y Elena, que habían permanecido al otro lado del cuarto respetando la privacidad de los dos ancianos, se adelantaron hasta la cama. Diego se sentó a su lado para tomar la mano tendida del cardenal entre las suyas. Le recorrió un escalofrío, estaba helada. Elena, a los pies del lecho, se cubría la boca para ocultar el efecto que le producía el hecho inmutable del final de una vida. Como su abuela, a sus ojos acudía el llanto. Era en esos instantes, testigo atribulado de los últimos minutos de un gran hombre, cuando se daba realmente cuenta de hasta dónde había crecido su admiración hacia él.

—Decidme, Eminencia.

—Diego, Diego... —Ensayó el anciano una sonrisa—. Deja a un lado tanto título pomposo aunque sea por una vez. Ahora no soy más que un pobre hombre que se muere. Ahora solo soy Francisco. O Gonzalo, si quieres, como insiste en llamarme la buena e incorregible Camelia. Un anciano que quiere pedirte un postrero favor.

—Lo que sea —afirmó Diego tragando el nudo de congoja que le atenazaba la garganta.

—Encuentra al Infante y acaba con sus enemigos. Con todos ellos. ¡Mátalos! Que Dios me perdone mis oscuros sentimientos.

—Aunque sea lo último que haga en la vida, Eminencia, aunque sea lo último.

La vida de Cisneros se fue apagando. Su cuerpo se estremeció, sus ojos se velaron y su mano decayó inerte entre las del joven conde un poco antes de que se rindiera la otra, la que aprisionaba la de doña Camelia.

De nuevo, había perdido el conocimiento. Pero ya no lo recuperaría. Horas después, el 8 de noviembre, sin que sus ojos volvieran a ver la luz, Gonzalo Jiménez, un simple mortal, entregaba su alma a Dios.

43

Apesadumbrados por la pérdida del cardenal, con la sensación de vacío infinita que produce la ausencia irreversible, pero conscientes de que la misión que perseguían no admitía demoras, Diego y Elena partieron de Roa dejando a doña Camelia la ingrata tarea de hacer saber a la corte la muerte del Regente y velar el cuerpo de su amigo.

El conde de Bellaste se hizo con dos caballos de refresco que irían alternando por el camino para no agotar más al suyo y al de Elena, cargando una bolsa en cada uno con los útiles y ropas elementales para el resto del viaje.

Elena, una vez que se hubo despedido de su abuela, se presentó ante él vestida como un muchacho, Diego se limitó a arquear una ceja, pero se guardó muy mucho de poner reparo alguno al aspecto de su esposa con atuendo netamente masculino: pantalones, jubón, chaqueta, capa y sombrero. Realmente parecía un mozalbete envuelto en el manto, con el ala del sombrero cayéndole sobre el rostro, oculto su largo cabello. Si alguien descubría que tras ese atavío se ocultaba una mujer tendrían problemas, entre otras razones porque estaba penado que una fémina utilizase ropas de varón. Pero no era menos cierto lo expuestos que estarían mostrándose ella en su condición femenina, en un largo y sinuoso camino atravesando leguas a marchas forzadas, sin el apoyo de guardia alguno. Cabalgar con la apariencia de dos simples comerciantes era mucho más sensato a pesar de la normativa de turno. Elena había demostrado ser más previsora que él, así que se limitó a ayudarla a montar y emprendieron viaje a galope tendido.

Diego azuzó a su montura hasta el límite de su resistencia y ella le fue a la zaga. Aunque estaban acostumbrados a montar, y lo hacían de modo excelente, ninguno de ellos midió bien sus fuerzas y, para cuando hicieron la primera parada, sus cuerpos estaban tan baqueteados que les costó cierto esfuerzo descabalgar. Aun así, Elena lo hizo sin una queja, mortificándose, soportando los pinchazos que torturaban su espalda y sus nalgas. Cambiaron sus caballos de repuesto en una venta, comieron lo primero que les pusieron delante y reemprendieron la marcha para llegar a Frómista entrada la noche, calados hasta los huesos y agotados.

Diego no hizo ascos a la primera posada que encontraron, humilde pero limpia, cuyo dueño resultó ser un converso de edad avanzada al que ayudaban sus dos hijos en los quehaceres del negocio. Hacía años, Frómista llegó a albergar a unas doscientas familias sefarditas, muchas de ellas huidas de las persecuciones de almorávides y almohades. Artesanos hábiles y muy trabajadores, la comunidad judía se había hecho un hueco en la ciudad. Sin embargo, la expulsión ordenada por los Reyes Católicos, en 1492, los había mermado en gran número, debilitando, a su pesar, la economía de la zona. Por lo que Diego sabía, la mayoría de los habitantes de Frómista estaba en desacuerdo con los motivos que habían llevado a los Reyes a firmar el decreto de expulsión a un colectivo bien integrado en la vida de la ciudad, como tampoco estaban de acuerdo ahora con el régimen señorial, injusto y opresor, que les ahogaba. No era de extrañar, por tanto, que las gentes de aquella villa, como las de toda la tierra de Campos, se sumasen en masa a la ola que crecía día a día contra la Corona y que, si Dios no lo remediaba, acabaría por estallar tarde o temprano.

Confiado en que estaba dando alojamiento a un tratante y a su joven ayudante, el dueño de la posada les ofreció acomodo en su mejor habitación e hizo que dispusieran para ellos una tina de agua caliente para adecentarse y liberarse del polvo del camino.

Elena casi ni esperó a que se marchara el muchacho que les atendió para empezar a quitarse la ropa. Sudorosa, oliendo a caballo, apelmazado el cabello y muy cansada, le dolían hasta las pestañas. Se sumergió en el baño dejando escapar un largo suspiro complacido cuando el agua caliente la envolvió relajando sus músculos y atenuando la fatiga. Mientras, Diego encargaba que les subieran unas bandejas con algo de comida y negociaba con el posadero el trueque de los caballos por otros de refresco.

Elena se enjabonó el cabello, se sumergió para aclararlo y, con los párpados entrecerrados, observó a su esposo dando vueltas y revisando el mapa que había sido su aliado desde que salieron de Los Arrayanes, de parada en parada.

A pesar del notable cansancio, se le despertó el deseo. Cubierto de polvo, vestido como un simple mercader, cayéndole el cabello en mechones sucios sobre el rostro, seguía teniendo una estampa espléndida, notablemente atractiva.

—Métete en el agua, ven.

—Si todo va bien y la lluvia nos da un respiro, mañana estaremos en Reinosa —repuso él sin mirarla, señalando con el dedo una ruta imaginaria.

—Es posible que mañana no pueda ni moverme. En cuanto se me enfríen los músculos creo que no seré capaz ni de sentarme.

Diego le prestó entonces atención, centrándose por completo en el cuerpo desnudo de su esposa. Dejó el mapa a un lado y se acercó a la tina, sonriendo al ver cómo estiraba una de sus torneadas piernas incitándole con descaro a que se uniese a ella. Le hubiera encantado, pero la tina era poco más que un caldero de madera. Se acomodó en el borde, se inclinó para lamer la cresta de uno de los pezones femeninos que sobresalía por entre la espuma, y luego la besó en la boca.

—Me ha parecido entender que apenas ibas a poder moverte.

—Entendiste mal, esposo mío —rio ella echando la cabeza hacia atrás, haciendo que sus pechos sobresaliesen un poco más del agua, y allí fijó Diego sus ojos—. Dije «cuando se me enfríen los músculos», y ahora están todo menos helados. Tú haces que se me calienten.

—Descarada.

—Mucho.

—Insolente.

—También.

—Incluso un poco desvergonzada, ¿no? —dijo él hundiendo una mano en el agua tanteando el vértice entre sus piernas, cuyo acto tuvo el reflejo de una erección casi inmediata.

—He tenido un buen profesor.

Impulsado por la llamada del deseo, hizo que la cabeza de Elena descansara sobre su brazo para atrapar sus labios. Sin dejar de besarla, sus dedos se centraron en la entrada oculta que escoltaba el vello púbico, se internaron suavemente en ella a la vez que su pulgar agasajaba una pequeña cima endurecida y, como recompensa, obtuvo en su boca el suspiro anheloso de ella, relajada al tacto de su mano acariciándola.

Elena se agarró de su jubón pronunciando su nombre repetidas veces, en susurros, hasta llegar al orgasmo. Después, su cuerpo se aflojó, cerró los ojos y se adormiló con los labios distendidos en una mueca satisfecha.

Diego apoyó su frente en la de Elena dando tiempo a que su propia excitación mermara hasta desaparecer. Clamaba su organismo por despertarla, llevarla a la cama y hacerle el amor hasta el agotamiento, pero tenerla así, en sus brazos, entregada y confiada, suponía para él ahora infinitamente más que la simple rienda suelta a sus instintos, porque, de esta manera, Elena se encomendaba a él, al refugio de su marido, algo que jamás había hecho con nadie.

Hizo que saliera de la bañera con cuidado, la secó con mimo lo mejor que pudo y después la metió entre las sábanas, esparciendo su largo cabello humedecido sobre los almohadones. Luego procedió a bañarse él y, cuando ocupó su lado de la cama, Elena gimió abrazándose inconscientemente a su cuerpo, apoyando la mejilla en su pecho. Y Diego cerró los ojos elevando una plegaria al Cielo por la mujer que le había tocado en suerte.

44

El caserón de la familia Collado era un edificio cuadrado y austero, más cerca de Matamorosa que de Reinosa, con muros de piedra al que daba acceso un portón de doble hoja para habilitar el paso a carruajes, y grandes ventanas en la parte frontal, rodeado de varias hectáreas de tierra fértil y prado, ubicado en un paraje solitario y sin viviendas próximas. Erigida a cierta distancia del núcleo de población, se percibía en su entorno un halo de sosiego y silencio a semejanza de los viejos conventos.

A Elena poco le importaba, a esas alturas, si el lugar en el que se refugiaba, supuestamente, el infante Fernando, era una casa señorial o un monasterio; necesitaba una cama en condiciones, un baño y una comida casera, porque solo habían querido detenerse lo imprescindible en Aguilar de Campóo antes de poder alcanzar su meta final. Tanto ella como Diego llegaban exhaustos. Pero por algún motivo, la oscura visión de la casona no le produjo una primera sensación demasiado agradable, más bien al contrario, como si se encontrara frente a un mausoleo. «Y tal vez lo sea —pensó Elena—. Tal vez hayamos llegado tarde.»

Los hombres que trabajaban como agentes para su esposo, Luciano Fuertes y Rosendo de Cervera, a los que ella había visto en Los Arrayanes y con los que se entrevistaron apenas llegar allí, nada podían confirmar salvo el hecho de no haber visto al Infante, aunque sí a unos sujetos con apariencia de mercenarios merodeando por las cercanías. ¿Quién les aseguraba pues que el joven todavía seguía con vida? La lógica hacía suponer que si tenían vigilada la casa era porque no habían conseguido su objetivo de acceder a él, por tanto debía de seguir vivo y eso les tranquilizó. Diego les había pedido un último esfuerzo extremando la alerta y, por encima de todo, que no les descubrieran.

Les recibió un individuo de gesto adusto, completamente rapado, que los miró de arriba abajo cuando Diego preguntó por el dueño del inmueble, Iyán Collado, deteniéndose acaso más de lo prudente en la figura encogida de Elena. Estimando tal vez que la joven, con su aspecto de mozalbete, no implicaba peligro para su amo, centró su atención en el conde de Bellaste.

—El señor se encuentra en estos momentos en su retiro espiritual —dijo.

—Pide entonces a su esposa, doña Casilda, que nos reciba.

—¿A quién debo anunciar?

—A Diego Martín y Peñafiel, conde de Bellaste.

—¿Os conoce o os espera, el ama?

Consideró Diego un tanto insolente la última pregunta, lo que acabó con su paciencia, bastante mermada tras largos días de un viaje tan agotador, así que dio un paso hacia él, pegando casi su rostro al del criado.

—No te incumbe si tu ama me conoce o no —repuso con voz severa y haciendo alarde de su rango—. Anúnciame ahora mismo, lo que me trae hasta aquí no admite demora.

El sirviente elevó el mentón con gesto orgulloso, dio media vuelta y se fue diciendo:

—Esperaos aquí.

El zaguán en el que aguardaron impacientes por espacio de varios minutos era un espacio inhóspito, frío, a modo de vestíbulo, con tan solo un par de bancos de piedra. Elena se derrumbó sobre uno de ellos, mientras Diego, con las manos entrelazadas a la espalda, iba y venía como un león enjaulado.

—¿Diego? —La voz suave de una dama que se materializó a espaldas del conde y fue acercándose a él hizo que Elena se pusiera en pie de inmediato, viendo que ella posaba la mano en el brazo de su esposo—. ¿De veras eres tú? —Lo observó con detenimiento—. Sí, lo eres —asintió—. Me parece estar viendo a tu padre.

—Doña Casilda, seguís siendo tan hermosa como os recordaba —alabó él besándole la mano.

La dama, de baja estatura y constitución delicada, dejó florecer una risita de complacencia. Desvió sus ojos hacia la persona que permanecía en segundo plano del joven, una Elena en guardia que se calaba aún más el ala del sombrero advirtiendo que el desagradable sujeto que les recibiera se mantenía en una posición a la expectativa tras la señora de Collado.

—Morán, lleva al criado del conde a las cocinas y que le...

—No es mi criado, doña Casilda —atajó Diego—, sino mi acompañante.

—¡Oh! Bienvenido entonces, muchacho. Pero, por favor, pasad y acomodaos, tenéis aspecto de llegar agotados, sin duda habéis hecho un largo viaje. Seremos cuatro a la cena, Morán —le dijo al criado—. Que les preparen dos cuartos.

A Diego el corazón le dio un vuelco. ¿Cuatro a cenar? ¿No iban a ser cinco? ¿Significaba eso que el Infante no se encontraba realmente allí? Cruzó una mirada preocupada con Elena, pero siguió los pasos cortos y elegantes de la anfitriona guiándoles al interior de la vivienda. Sin embargo, tan pronto estuvieron a salvo de los oídos del sirviente, en uno de los salones, no se anduvo en zarandajas:

—Tengo que preguntaros algo, doña Casilda: ¿está su Alteza en esta casa?

Se le fue a la esposa de Collado el color de la cara. Nerviosamente, sin poder disimular su zozobra, echó un vistazo alrededor.

—¿Se encuentra aquí, señora? —interrogó también Elena provocando que ella diera un paso atrás alarmada, pues el tono de su voz en nada se correspondía con el de un muchacho.

—¡Sois una mujer!

—Soy la esposa de Diego. —Elena confirmó su condición femenina quitándose el sombrero, dejando que su larga melena le cayera sobre los hombros—. Por favor, señora, contestad, el tiempo apremia.

Sin dar crédito a lo que veía, con los ojos abiertos de par en par recorriendo la vestimenta masculina de la joven, la mujer dudaba. Se encontraba entre la espada y la pared porque sus invitados parecían dispuestos a todo con tal de saber si el hijo de la Reina se encontraba entre aquellos muros, y ella no podía delatarlo, por mucho que supiese de la honorabilidad de Diego Martín.

—Yo... No... ¿Cómo se os ha pasado por la cabeza que...?

—Doña Casilda, tranquilizaos, por favor —intervino Diego tomándola del brazo—. Nuestro interés por el Infante no implica peligro alguno para él, muy al contrario, hemos venido para salvarle la vida.

—¿Para salvarle? —les sobresaltó la poderosa voz de Iyán Collado haciendo acto de presencia. Era un hombre alto, ancho de hombros aunque algo encorvado por la edad, de mirada clara y cabello completamente blanquecino, al igual que el frondoso bigote que descansaba sobre unos labios finos que asemejaban una cuchillada en su rostro. Sus cejas se arquearon deteniéndose en el joven que acababa de hacer tan extraña revelación a su esposa que, contrita, buscó refugio a su lado—. ¡Diego! ¡Condenado pillastre! ¡Cuánto tiempo hace que...! —inició un saludo que se le congeló a expensas de lo que había escuchado y el gesto torvo de Diego—. ¿Qué es eso de salvar a quién? ¿Y quién demonios es esta jovencita que se burla de las normas de la decencia vistiendo como un hombre?

Tanto Diego como Elena se daban cuenta de que el tal Morán permanecía parado junto a la puerta, con el semblante seco como un ajo, con el aplomo de un guardián. Collado advirtió hacia dónde se dirigía la atención de ambos y se apresuró a explicar:

—Morán es de toda confianza, nada que pasa en esta casa es ajeno a él. Le confiaría mi vida. Alfredo —le dijo al sirviente por encima del hombro—, trae algo de bebida. Que sea fuerte, me da el pálpito que vamos a necesitarla.

Minutos después Diego había puesto en antecedentes al matrimonio Collado de la razón y la urgencia por la que estaban allí: la petición de ayuda de la Reina, el encargo de Cisneros, su muerte en Roa, el motivo por el que Elena viajaba disfrazada... Sobre todo, les pusieron al corriente del complot descubierto por Balbina Cobos.

Doña Casilda no salía de su asombro, no cesaba de persignarse, e Iyán apuró no una copa, sino dos, antes de decir palabra.

—El Regente muerto —musitó—. El país sin un guía firme que lo gobierne...

—No os preocupéis por eso, el cardenal ya dejó dispuesta la mano que conducirá las riendas hasta la llegada del monarca, que será de un momento a otro —le tranquilizó Elena.

—Poco o ningún sosiego puede darme que asuma la corona el primogénito de Juana. No deja de ser un muchacho al que podrán mangonear esos condenados flamencos siguiendo las directrices de su abuelo Maximiliano. Cuando Ubaldo Andújar me pidió que alojara al Infante en mi casa sin pedir explicaciones, manteniendo su estancia en el más absoluto secreto, no imaginé que...

—El conde de Berlejo ha sido asesinado —le informó Diego—. Los detractores de Fernando quisieron evitar que una pieza tan importante como él continuara apoyando al hijo menor de la Reina para el trono.

Al semblante de Collado asomó la sorpresa y el dolor a partes iguales, y la noticia arrancó una exclamación apenada a su mujer.

—Ubaldo nunca haría eso. ¿Asesinado, dices?

—Puedo aseguraros que lo que os hemos contado es totalmente cierto, don Iyán. Y sí, el de Andújar planeaba llevar a cabo lo que a vos os parece una locura. Él y algunos otros nobles intentaban desde hace tiempo que la corona recayese sobre el joven Fernando y no en Carlos, al que muchos consideran un extranjero criado a los pechos de Flandes.

—No les falta razón, pero no deja de ser una traición.

—Ahora os vuelvo a preguntar, don Iyán: ¿dónde está el Infante?

45

Fernando era un adolescente de aspecto vulgar, apocado, escaso de personalidad, que para nada parecía un Infante de España. Espigado y de rostro delgado, lucía aún el corte de pelo de un mancebo, vestía de rojo y negro y aparentaba tener un carácter nervioso. Fue la impresión de Elena, y no le cayó demasiado bien. No conocía a su hermano, el legítimo heredero, pero aquel no podía ser peor que el que tenía delante, y que, invariablemente, esquivaba su mirada.

Sin embargo, la condesa de Bellaste se equivocaba. El propio joven la sacó de su error una vez que se informó de la razón de su estancia allí y de lo relatado a los Collado. El hijo de Juana I de Castilla enfrentó los ojos de Diego y dijo:

—Os agradezco todos vuestros desvelos, señor conde. Y a vos, mi señora. Pero no creo que haya merecido la pena el sacrificio de quienes han perecido por defender mi causa ni que arriesguéis vuestra seguridad por mi persona. Nunca he deseado una corona que pertenece, por derecho y por deseo divino, a mi hermano Carlos. De haber estado al tanto de las pretensiones del conde de Beltejo, no dudéis que se lo habría impedido.

—Los nobles pertenecientes a la Casa del Infante no lo sabían. Vuestros enemigos, tampoco.

—Jamás lo insinué siquiera.

—Lo creo, mi señor —asintió Diego—, pero ese no es el problema. El problema es que desean vuestra desaparición física.

—¿Qué piensa mi hermano de todo esto? ¿Qué dice él?

—No lo sé. Pero debemos suponer que a sus oídos haya llegado la noticia de un complot para arrebatarle la corona a favor vuestro.

—Lo lamento. Aunque él se ha criado con mi abuelo Maximiliano y yo he pasado buena parte de mi vida aquí, bajo la tutela de hombres adeptos a mi abuelo Fernando el Católico, está lejos de mi intención arrebatarle nada. No me importa el peligro que corra ahora, según vos, pero sí que Carlos piense de mí que soy ingrato o usurpador.

—Por lo que sé del soberano, Alteza —intervino Elena—, es un joven con una identidad muy desarrollada, con iniciativa propia, suele pensar por sí mismo. No dudamos que habrá de ver la verdad.

Fernando inspiró hondo haciendo tamborilear sus dedos sobre el brazo del sillón que ocupaba. Al fin, fijó sus ojos en la joven noble y afirmó:

—La corte es un nido de víboras, condesa. El pueblo piensa que sus monarcas son dueños y señores de sus vidas, regidores de los destinos de todos. ¡Qué falacia! Desde que tengo uso de razón no he visto más que guerras internas, pactos y transacciones cuyos únicos benefactores solían ser los consejeros que rodeaban a mi abuelo.

—Desde que el hombre es hombre, ha sido así, Alteza.

—Lo sé —asintió él, levantándose y acercándose al ventanal frente al cual se extendía la explanada que llegaba hasta el río. Permaneció un momento allí, sin hablar, sumido en sus pensamientos, para decir a continuación—: De haber podido elegir, sabe Dios que hubiera preferido un cometido simple, cualquier cosa menos ser Infante de España.

—Pero lo sois, y no podéis cambiar eso.

—No. No puedo, es verdad. ¿Sabéis cómo vive un niño de corta edad observando los juegos de los otros, cuando a él le están vedados? Entretenimientos inocentes, tal vez travesuras que yo veía con impotencia desde la ventana del cuarto donde se me educaba, que representaban para mí un suplicio porque sabía que nunca disfrutaría de ellas. He sido príncipe desde que nací. Al igual que mi hermano, un simple peón al servicio de los que, realmente, gobiernan: los políticos. No deja de ser gracioso que un hombre que ostenta tan pomposo título venga a ser poco más que una marioneta, ¿no creéis? —Esbozó una media sonrisa que rezumaba tristeza acentuando una madurez poco acorde con su edad—. Su Alteza, sí. Su Alteza *el Peón*.

Para Elena, cada una de sus amargas palabras era como un golpecito doloroso en su corazón. No, ella no podía saber lo que había significado para aquel muchacho, casi un niño, ambicionar ser uno más, compartir juegos y risas. Ella había tenido la suerte de criarse casi, casi al libre albedrío, entre su hacienda de Toledo y la de Diego. Escuchar a Fernando en su ejercicio de amargura tocó su fibra más sensible. Le hubiera gustado abrazarlo, mostrarle cuán próxima se sentía a él, tratarlo como el hermano que nunca tuvo... Pero no podía: él era un Infante de España y ella tan solo la esposa del hombre que intentaba salvarle la vida, incluso exponiendo la suya. Aun así se levantó para acercarse a su lado, atreviéndose a poner una mano en su brazo que apretó ligeramente con ternura.

—Disculpadme. Necesitamos que nos pongáis al tanto de todos vuestros pasos en esta casa, mi señor.

—¿Para qué?

—Para adelantarnos a los esbirros que han enviado a mataros —respondió Diego—. Tengo a dos hombres vigilando las cercanías que creen haber visto a unos sujetos de aspecto sospechoso, que bien podrían ser sicarios a las órdenes del vizconde de Arend.

—¿Leonardo Gautiere?

—Según doña Germana de Foix, está detrás de todo.

—¿Mi abuelastra os puso sobre aviso? —preguntó el joven, turbado, arqueando las cejas.

—Avisó al cardenal Cisneros, que Dios tenga en su Gloria, sí.

—Nunca la he apreciado demasiado —confesó—. Tal vez me equivoqué, como en tantas otras cosas.

—Sois familia.

—También lo era mi abuelo de mi madre y la dejó olvidada en Tordesillas —repuso él entre osado e irónico—. Bien. ¿Qué deseáis saber?

—Todo lo que hacéis en cada hora del día.

—No salgo de la casa excepto por las mañanas, al amanecer, que voy a rezar a la ermita.

—¿Habéis ido hoy?

—Por supuesto. No abandonaré una costumbre que inculcó en mí mi madre, la Reina. No temáis —añadió mirando alternativamente a Diego y Elena—, siempre prescindo de estos ropajes, salgo vestido como si de un criado más se tratara.

—No creo que ese detalle por sí solo baste para engañar a los hombres que os persiguen. Mañana no iréis a la ermita —comentó Diego—, yo lo haré en vuestro lugar.

—¿Queréis servir vos de cebo?

—Avisaré a mis hombres para que me guarden las espaldas, no os preocupéis.

—No pienso consentirlo —negó Fernando con vehemencia—. Si alguien debe exponerse al supuesto ataque, ese alguien debo ser yo.

—Vos sois el Infante, no podemos permitiros... —protestó Elena, aunque en su fuero interno rechazaba que su esposo fuera a ponerse de señuelo.

—Puedo y lo haré, mi señora —insistió el muchacho—. Hasta ahora han marcado mis pasos, me han dirigido, me han manipulado. ¡Se acabó! No se trata solamente de defender mi vida, sino de respaldar los derechos de mi hermano como soberano, y debo hacerlo personalmente. Quiero ver cara a cara a los que desean mi muerte. De poco me serviría seguir vivo si no logro demostrar al mundo, y a mí mismo, que soy digno heredero de la sangre real que corre por mis venas. No sé lo que me deparará el destino, pero sea lo que fuere lo enfrentaré como un hombre, no seré el fantoche manejado que he sido hasta ahora.

46

Antes de entregarse al descanso, arropada por suaves sábanas, Elena escuchó que su esposo preguntaba:

—¿Me quieres?

¿Aún lo dudaba?

Diego, apoyado sobre un codo, la observaba aguardando, necesitado de su respuesta positiva, del sí de sus labios.

—Claro. ¿Qué pregunta es esa? No estaría contigo si fuera de otro modo.

—El amor, querida —dibujó el perfil de su mentón con un dedo—, es un libro de muchas páginas que se escribe día a día. No sirve con afirmarlo.

—Escribiremos ese libro entre los dos. Ahora duerme, mi amor. —Irguió un poco la cabeza besando suavemente su boca.

Él se amoldó a su cuerpo bajo las sábanas guardando silencio.

Elena no se durmió. No podía de puro cansancio. En su cabeza martilleaba dolorosamente la visión de Diego haciéndose pasar por el Infante, asumiendo un riesgo que todo su ser rechazaba porque Diego había ido enumerando al príncipe las consecuencias políticas de enorme trascendencia para el país, si algo le ocurría, hasta convencerle de que solo él estaba en condiciones de apropiarse de su personalidad. Elena, en cambio, veía varios inconvenientes. En primer lugar, el hijo de la Reina era más bajo que su esposo, más estrecho de hombros, menos musculoso. Nadie con dos ojos en la cara iba a confundir su porte con el del joven Infante. Se darían cuenta del engaño y no dudarían en eliminarlo en cuanto descubriesen la trampa, sin darle oportunidad de defenderse. Los asesinos del conde de Beltejo, a ella no le cupo duda de que eran los mismos, no se andarían con chiquitas a la hora de quitar obstáculos de en medio. Por más que Diego, soldado experimentado, tuviera coraje para enfrentarse a quienes fueran los sujetos que lo abordarían, ellos no conocían el honor y, por tal motivo, cabía pensar que atacarían emboscados, a traición, en cuyo caso de poco o nada serviría la cercanía de sus agentes.

Se removió, inquieta, escuchando la acompasada respiración de Diego. Tenía que hacer algo para ayudar al Infante, pero, sobre todo, para guardar la integridad de su esposo. Sin embargo, no se le ocurría nada, y en su cerebro no hacía más que rondar la visión del cuerpo ensangrentado de Diego, con lo que se desazonaba y aumentaba su insomnio.

No se resignaba a que después de tantos avatares, después de conocer y vivir el amor intenso que había nacido entre ellos, pudiera perder a Diego para siempre. ¡Cristo! Si hasta incluso se aventuraron durante el camino a que alguien descubriese que ella era una mujer vestida de varón, lo que hubiera implicado que la ley cayera sobre ella con toda firmeza...

Y entonces lo vio con claridad: ¡eso era, el disfraz!

Los latidos del corazón se le dispararon ante una solución tan sencilla. ¡Sí, eso era! Su estatura, su estructura corporal, su complexión delgada bien podía dar gato por liebre a la calaña que les amenazaba.

Muy tensa, sin poder pegar ojo, fue dejando pasar las horas que se alargaban interminablemente. Antes de que despuntase el alba se tiró de la cama con el mayor sigilo. Diego murmuró algo, se colocó boca abajo y continuó durmiendo. Galopándole la sangre en las venas, Elena se echó una capa sobre el camisón, tomó una palmatoria, yesca y su daga, y salió del cuarto sin hacer ruido, volando sus pies hacia la habitación que ocupaba el infante Fernando. Durante el trayecto rezó para que, con la ayuda del Altísimo, pudiera rematar su plan.

Abrió la puerta y se coló dentro. Encendió la lamparilla para dejarla sobre la mesilla de noche, alumbrando la titilante luz el rostro del muchacho, que dormía como un bendito, un rostro que horas antes se manifestaba ceñudo discutiendo con Diego su proposición de ser él la carnada. Si nada lo cambiaba, estarían ante un gran hombre.

Lamentaba profundamente lo que iba a hacer, pero no le quedaba otra solución. Si todo salía bien, ya habría ocasión de presentar a Fernando sus disculpas y de aplacar la ira de Diego. Ahora lo que primaba era actuar con celeridad. Echó un vistazo al recinto y sin pérdida de tiempo se fue hacia las ropas del joven.

Debió de provocar algún ruido al deslizarse porque el

Infante abrió los ojos, se dio la vuelta, la miró no sin asombro y acabó por sentarse.

—¡Doña Elena! —exclamó restregándose los párpados—. ¿Qué hacéis en mi cuarto?

No contestó, solo cabía la acción. La bilis le subía a la garganta, le temblaban las manos, pero se rehízo al instante, se acercó a la cama, agarró el candelabro que reposaba en la mesilla y no dudó en descargarlo sobre la cabeza de Fernando, que, con un leve quejido, quedó inerte.

No era hora de remordimientos por más que le angustiara lo que estaba haciendo. Comprobó el hilillo de sangre en la frente del muchacho y respiró aliviada al ver que no revestía importancia, poco más que un buen chichón para cuando despertase.

Olvidándose del príncipe dejó caer su capa, se quitó el camisón por encima de la cabeza y no tardó en vestirse con las ropas masculinas. Rompió en jirones después el camisón, procediendo a amordazar y maniatar al Infante para evitar que diese la voz de alarma si despertaba antes de lo previsto. Un ramalazo de pánico le contrajo las tripas pensando en el peligro al que iba a hacer frente, pero ya no podía echarse atrás. No cuando se trataba de proteger la vida de su esposo. «El amor es un libro de muchas páginas que se escribe día a día», había dicho Diego. Bien, pues ella estaba dispuesta a escribir el primer capítulo en cuanto asomase el sol.

Se echó la capa sobre los hombros disponiéndose a salir de allí para acudir a la ermita, pero su figura se reflejó en el espejo haciéndola maldecir en susurros. Su cabello. ¿Cómo disimularlo? Quedaría oculto bajo el sombrero, pero debería descubrirse al entrar en la capilla.

Le dolió en lo más hondo su siguiente paso, pero no dudó demasiado: empuñó su daga y, mechón a mechón, se cortó la cabellera. Juntó las guedejas, las ató en un extremo con una tira de tela, trenzó el cabello y lo anudó también en el otro extremo. Lo dejó sobre la cómoda, tomó papel y pluma del secreter y escribió una nota rápida. Luego se acercó a la chimenea ya apagada, se ensució las manos con ceniza, se embadurnó el pelo, volvió a mirarse en el espejo, asintió y salió de allí.

47

La ermita distaba poco del caserón de los Collado y se alzaba solitaria escoltada por una frondosa alameda que hundía sus raíces en la ribera de un cercano arroyo. Lo primero que advirtió Elena fue su tamaño: era más grande de lo que imaginaba, tal vez por el efecto llanura donde se asentaba, dotada de sólidos muros y estructura simple pero esbelta, que le recordaba el gótico medieval. Sobre el tejado se trenzaba el ramaje de un nido abandonado por las cigüeñas, que, año tras año, regresarían a la población para ocuparlo con sus crías.

El vaho de su agitada respiración fluía alternativamente de sus fosas nasales o de su boca mimetizándose con el blanco de la escarcha que cubría el campo. La senda, embarrada, le hacía resbalar constantemente. Ralentizó sus pasos, poniendo cuidado en dónde colocaba los pies.

Desde donde se encontraba ya no era visible el caserón de los Collado. La invadió un embate de soledad que rechazó sabiendo que los hombres de Diego estarían en las inmediaciones, tal y como él les había pedido. Agudizó la vista en un acto reflejo pero vano, porque, si realmente estaban cerca, se encontrarían bien ocultos.

Alerta, siguió andando, percibiendo a su espalda el traqueteo de las ruedas de un carro que se aproximaba y echó mano a la daga que colgaba de su cintura, bajo la capa, esperando tensa a que la destartalada carreta llegase a su altura, palpitando su corazón enloquecido con erráticos latidos que retumbaban en sus oídos. Aparentemente, se trataba de un labriego que, refrenando la mula que tiraba del carro, le lanzó una mirada extrañada y somnolienta y quiso saber:

—¿Necesitas ayuda, mozo?

—Gracias, pero no. Voy a rezar a la ermita —contestó Elena modulando su voz para que pareciera la de un muchacho.

—No son horas para transitar por aquí sin compañía, podrías encontrarte con algún desaprensivo.

—Poco podrían robarme, si es vuestro temor, buen hombre. No llevo ni un maravedí encima.

El lugareño se encogió de hombros. No, realmente no parecía que al chaval le sobrara el dinero, se dijo mirando sus ropas. Hizo ondular las riendas y el animal se puso en marcha.

—Quedad con Dios y tened cuidado. ¡Arre, *Rosita*!

—Que Él os acompañe —deseó Elena.

El buen hombre se alejó en dirección al pueblo y ella continuó hacia el oratorio.

El amanecer comenzaba a teñir de rojo y malva un horizonte por el que pugnaba por asomar el disco solar abriéndose paso entre nubes amenazantes de tormenta. Elena, completamente concentrada, atenta a cada crujido, a cada trino, a cada sonido, llegó a la ermita con sus piernas flaqueando. Tenía miedo pero no podía decaer ahora. Se había apropiado del papel del Infante y ya no cabía replegarse, por más que su sentido la indujera a dar media vuelta y volver por donde había venido. Rezaba fervorosamente para que Diego hubiera descubierto ya su artimaña, suspirando por que Fernando se hubiera reanimado y, de una forma u otra, puesto sobre aviso a su esposo. Lo ansiaba vehementemente, porque, aunque ella pretendía confundir a los asaltantes, tampoco estaba tan loca como para pensar siquiera en enfrentarse a ellos sola. ¿No dijeron los hombres de Diego que vieron a varios husmeando por los alrededores del caserón? A uno, tal vez pudiera encararle mientras llegaba la ayuda deseada, ya que la sorpresa jugaría a su favor y no era torpe manejando la daga. A más de uno, ni en sus mejores sueños. Aún le quedaba algo de cordura. Ella no era ninguna heroína, tal vez una pizca audaz, empujada tan solo porque temía por la vida del hombre al que amaba. Si lograba concentrar en ella la atención de los asesinos dando margen a que Diego o sus hombres arremetieran contra ellos, se daba por satisfecha.

Tres pares de ojos vigilaban cada uno de los pasos de quien creían que era un muchacho, agazapados tras el muro de la ermita que daba al oeste.

Desde otro punto, dos hombres que soportaban desde hacía más de dos horas la baja temperatura, ocultos entre los matorrales, no perdían detalle de los anteriores.

Los zorros cercados por los lobos.

Pero eso no lo sabían ellos. Y Elena, tampoco.

De pronto cayó en la cuenta de que la puerta de la ermita podría estar cerrada, porque, en su precipitado proceder, ni se le había ocurrido pensar en tal detalle. Apoyó las palmas de las manos en la madera resquebrajada, empujó y gimieron los goznes franqueándole el paso a una planta alargada, rectangular y sobria que desprendió una vaharada de olor a humedad. El interior había conocido tiempos mejores. Cuatro ventanucos horadados en la parte alta de los muros, con cristales opacados por la suciedad, filtraban la escasa luz que iluminaba unos pocos bancos con dos reclinatorios en los extremos, abriéndose a un vetusto altar de piedra presidido por la imagen deslucida de un santo que no reconoció.

En el silencio del interior un leve crujido reverberó multiplicado por mil en los oídos de Elena. Contuvo la respiración invadida por un pánico súbito que la llevó a transpirar. Se le pegó la ropa al cuerpo y le temblaron las rodillas. «Estás loca», le advirtió una voz interior. «Completamente loca», insistió su lado más cerebral. «Tranquila, no es nada...», intentó infundirse valor. Porque demente o no, allí estaba y debería afrontar las consecuencias de sus actos.

Se descubrió, avanzando cautelosa hacia el altar entre los viejos bancos, estrujando el sombrero entre sus dedos, casi sin apoyar los pies en las losas de piedra desigual para que sus botas no hicieran ruido. Tenía la lengua pegada al paladar. Se paró frente a la imagen, se persignó con mano convulsa y se arrodilló en el primer banco.

Quería rezar, rogar al Altísimo que no la abandonara en el callejón de la osadía estúpida en que se había metido tan solo pensando en Diego. Pero no podía. Sus cuerdas vocales estaban paralizadas, obturada su mente por interpretar cualquier sonido porque todos le transmitían ecos de peligro: el ulular del viento fuera, los ajustes de la madera en la estructura, el zureo de una paloma allá arriba en el tejado o tal vez en la veleta... Todos ellos identificables, con los que convivía a diario, le parecían ahora anuncios de una desgracia inminente. Estaba impedida por el terror. Ahora se daba cuenta de que, de las muchas majaderías que había hecho en su vida, y habían sido unas cuantas, aquella se llevaba la palma.

Captó su oído unas lentas pisadas que se le acercaban, se tensó toda ella cerrándose su mano en la empuñadura de la daga, e inclinó la cabeza como si estuviera orando.

—Nos habéis dado demasiado trabajo para acabar con vuestra vida, precisamente aquí, en una iglesia, Alteza.

La voz, susurrante y siniestra, desprovista de alma, paralizó definitivamente el corazón de la condesa de Bellaste.

48

Parra, estoque en ristre, se aprestaba a culminar el encargo que tenía encomendado: matarlo y llevar una prueba de su muerte. ¿Una mano sería suficiente? «Sí, porque cuando se difundiera la noticia no iban a omitir los detalles», dedujo. Malévolo y sin remordimientos, sus dedos apretaron el hombro de su víctima obligándola a que se volviera, echando hacia atrás el brazo armado para asestar el golpe mortal. Un golpe que se quedó en suspenso porque el rostro que le encaraba no correspondía a ningún muchacho, sino a un semblante de mujer presidido por unos ojos azules que le miraban espantados.

Elena estaba tan agarrotada como él pero fue capaz de reaccionar un segundo antes que su agresor. La luz que se filtraba por uno de los ventanucos incidió en el acero que empuñaba impulsándolo hacia el corazón del sicario.

El instinto de conservación de este tipo de individuos acostumbrados a vivir al borde del abismo se activó en Parra un instante antes de recibir la puñalada fatal, aunque no le fue posible evitar que la hoja penetrara en su costado haciendo que profiriera una blasfemia obscena, más obscena, si cabía, vomitada en un recinto sagrado.

Lo que sucedió a continuación lo recordaría Elena después como si lo hubiera vivido entre brumas: Parra se dobló sobre sí mismo y cayó de rodillas ante ella, pero dos figuras tras él, acólitos suyos, emergieron no supo de dónde abalanzándose para atraparla. A la vez se abría violentamente la puerta de entrada e irrumpían sin vacilaciones Luciano Fuertes y Rosendo de Cervera. A partir de ahí, su drama personal se convirtió en una contienda a muerte que iba a discurrir en dos frentes, uno de ellos el suyo. El hombre al que acababa de acuchillar se ponía en pie apoyándose en uno de los bancos mientras que, de fondo, pudo ver cómo uno de los esbirros conseguía alcanzar a Luciano en el pecho y el colaborador de Diego se derrumbaba. El desalmado se alineó con su compinche para repeler el ataque de Rosendo, que, enfrentándose a ambos, no tuvo más remedio que retroceder.

—¡Salga de aquí! —le gritó el de Cervera.

Aunque sus movimientos hubieran respondido con suficiente presteza a la orden, lo que no fue así, Parra le cortaba ya el paso. Sangraba por un costado, estaba malherido y renqueaba, pero no lo suficiente como para estar fuera de combate. Adelantó Elena su daga tratando de guardar las distancias, retrocediendo hacia la cabecera de la planta y Parra avanzó hacia ella con los ojos inyectados en sangre. Ella dio un paso más hacia atrás, tropezó con el escalón que subía al altar y trastabilló, a punto de caer.

El ruido sordo de las estocadas, las exclamaciones y maldiciones de los contrincantes levantaban ecos en el recinto, pero ella no los escuchaba, ensordecida como estaba por el bombeo de su corazón en los oídos.

Parra fue acortando el espacio que les separaba obligando a Elena a parapetarse tras el altar. La amagaba con falsos ataques jugando al gato y al ratón a su alrededor, pero, centrada en esquivar a su rival, no reparó en el búcaro de flores marchitas de uno de los lados, topó con él volcándolo, lanzó un grito de espanto golpeándose en un costado con el borde de piedra y aterrizó de espaldas en el suelo perdiendo de paso la daga, que rodó fuera de su alcance. Parra, con un gesto feroz, se abalanzó sobre ella.

Una hoja de acero se interpuso en el postrer momento entre Elena y el arma que iba a darle muerte.

El ímpetu que Diego imprimió en el golpe lanzó a Parra contra la pared. El asesino, abortado su ataque tan imprevistamente, se rehízo sin embargo de inmediato y, olvidándose de la mujer, centró todos sus sentidos en el conde de Bellaste. A Ginés de Parra, de repente, ya le importaba un ardite la muerte del príncipe o el dinero que le iba a reportar, ahora se trataba de sobrevivir, porque en la ardiente mirada del hombre que se le enfrentaba destellaba un brillo homicida.

Diego no le dio cuartel. Dominado por un furor enfebrecido acompasó sus movimientos y su mente a un solo objetivo: matar. Pero no matar por encargo para eliminar a un enemigo de España que pretendía acabar con el Infante. No. Matar a la escoria humana que no hubiera vacilado en descargar su arma contra su esposa.

Al otro lado, en la entrada de la ermita, Rosendo de Cervera luchaba enconadamente pero ya no estaba solo: el joven Fernando se batía diestra y bravamente con el otro criminal, a quien estaba haciendo replegarse.

La saña de Diego le obligó a guiarse sin la prudencia requerida. Lanzando estocadas en aspa ganó terreno hasta acorralar a su enemigo, centrándose en su brazo armado, pero no se percató del cuchillo que el otro empuñó de repente y que lanzó hacia él desesperado. Notó el frío del arma penetrar en su hombro, escuchó el chillido aterrado de Elena y un dolor punzante le hizo encogerse y bajar la guardia, dando a Parra la oportunidad esperada. Manifiestamente en desventaja, Diego paró a duras penas la furiosa acometida del otro. Pero ya se había visto en situaciones muy comprometidas, de manera que recurrió a sus reflejos de antaño empleando una artimaña que en más de una ocasión le había salvado la vida: barrió a Ginés con la pierna izquierda. Falto de equilibrio, el asesino cayó hacia atrás para encontrarse, al instante siguiente, la punta del estoque de Diego aplicada a su garganta.

Elena no podía respirar. La sangre que manchaba el pecho de su esposo era un baldón muy pesado que disparaba su sentimiento de culpa.

Fue entonces testigo del cruce de miradas entre Diego y Parra: la de este, aterrada; la de su esposo... Se estremeció, sofocó un lamento y se apoyó en el altar anímicamente exhausta. Nunca había visto tanta inmisericordia en el rostro de Diego.

El brazo del conde subió y bajó. Por encima del choque de aceros que continuaba violando el sagrado recinto, Elena pudo escuchar el balbuceo de Parra pidiendo clemencia. Pero Diego no estaba dispuesto a concederla: su estoque atravesó la tráquea del asesino y allí se quedó, cimbreándose, mientras él, desencajado el rostro por el dolor, daba unos pasos atrás, se apoyaba en un banco y, apretando los dientes, se arrancaba el cuchillo. Brotó de la herida una burbuja carmesí que resbaló hacia su pecho e hizo que Elena rompiera a llorar. Corrió hacia él, ausente de cualquier factor, cualquier elemento y cualquier presencia que no fuese Diego, sin reparar siquiera en que Rosendo y Fernando habían conseguido dar buena cuenta de sus respectivos enemigos y se acercaban a ellos.

A un paso de Diego, sin llegar a tocarlo, se quedó paralizada. El semblante de su esposo no dejaba lugar a dudas: repudiaba su proceder culpándola de la actual situación y lo reflejaba mirándola torvamente, sin un ápice de condescendencia.

—Don Diego, ¿os encontráis bien?

La voz preocupada del joven Infante devolvió al conde al estado presente de las cosas. Poco a poco, la nube roja que ahondaba en sus pupilas fue desapareciendo. Asintió sin apartar la mirada de Elena, y luego le dio la espalda. Ella se sintió huérfana, humillada y, sobre todo, responsable de haber actuado a espaldas de él poniéndose en peligro y arrastrando con ella a los demás.

Diego apoyó una mano en el hombro del muchacho. Fernando estaba sudoroso, cansado, respiraba agitadamente, pero, en lo que cabía, se podría decir que ileso y, sin lugar a dudas, ufano de haber tomado parte en una contienda de importancia capital para España y, por encima de todo, para él.

—¿Y vos, Alteza?

—De una pieza. —Esbozó una sonrisa juvenil.

—¿Cómo está Luciano?

—Tiene una fea herida en el pecho, pero saldrá de esta —respondió Rosendo devolviendo su acero a la funda.

Nunca Elena se había sentido tan fuera de lugar, a pesar de que Fernando la miraba notoriamente admirado y Rosendo le dedicó un guiño cómplice. Pero Diego seguía dándole la espalda, como si le importase un comino si ella estaba bien o estaba herida, como si no quisiera saber nada de ella, como si la odiase. Se mordió los labios porque hubiera querido declarar su pesar. Hubiera querido que Diego la arropase entre sus brazos y luego le hubiera gritado su loco proceder, incluso que la hubiese insultado. Podría soportarlo todo. Cualquier cosa excepto aquel desprecio flagrante con que la castigaba.

—Diego... —se atrevió a susurrar, mientras daba un paso hacia él.

—Luego —la cortó sin vacilación—. Luego hablaremos, señora. Ahora es Fuertes quien necesita atención inmediata.

A Fernando le hubiera gustado romper una lanza a favor de la mujer que había arriesgado su vida por él, aviniéndose a hacer de cebo, pero la actitud del conde le dijo que lo mejor, por ahora, era guardar silencio y no inmiscuirse en los asuntos matrimoniales. En cambio, sí que se atrevió a apoyar su mano en el brazo de la muchacha, que, como recién salida de un trance, se postró de rodillas ante él.

—Alteza, lamento haberos...

—¡Por Dios, levantad, doña Elena! —exclamó tomándola de los hombros.

—Perdonadme —gimió ella con los ojos bajos y llenos de lágrimas.

—Nada hay que perdonar a quien ha arriesgado su vida por mí, condesa. Muy al contrario, debería ser yo quien se postrase ante vos.

Rosendo, por su parte, sabedor del amor que su patrón profesaba a la muchacha, y entendiendo la lógica indignación que debía de albergar su pecho en esos instantes por el riesgo que había asumido, creyó oportuno no decir nada, incómodo por la distancia hiriente, especialmente para ella, abierta entre ambos.

Cargaron con el cuerpo inconsciente de Luciano para tumbarlo sobre uno de los bancos en tanto Elena se dejaba caer en otro. Tragándose las lágrimas, soportando su arrinconamiento, deploraba su proceder pero se afligía sobremanera por el despecho de su marido.

Diego se interesó por la herida de Luciano, tanteó su estado y ordenó a Rosendo que fuera en busca del médico. Volvía a ser el hombre que tenía todo bajo control. Todo, menos a su condenada esposa, porque tener bajo control a Elena era tanto como pedir la luna. Le quemaba la necesidad de abrazarla, de acunarla, de templar su estado de ánimo, pero aún le podía más el escozor de su proceder. La cuestión era que se debatía entre besarla o ahogarla. ¡Había pasado tanto miedo por ella!

Incuestionablemente podía deberle la vida por haber tomado su puesto. Seguramente. Aun así, por mucho que reconociera su valentía, pesaba mucho más el riesgo asumido. No podía pensar con claridad, le sacaba de quicio que se hubiera expuesto a un trance que pudo significar perderla. ¡Ella y su maldita tozudez! ¡Ella y su arrogancia! ¡Ella, Elena...! Soltó una blasfemia y salió a largas zancadas, necesitado del aire helado del exterior para calmar su desazón. ¿Cuándo iba a entender Elena que no podía actuar tan a la ligera, de modo tan imprudente? ¿Por qué no comprendía que, de haberle sucedido algo, a él poco le importaría ya seguir viviendo? Ella era su vida. La amaba tanto que le dolía. Por eso le envenenaba la sangre su irreflexivo proceder.

Con un nudo en la boca del estómago revivió el momento en que había despertado. No vio a Elena en la cama y, al poco, le sobresaltaron unos golpetazos furiosos en la puerta contigua a su cuarto. Alertada toda la casa, hallaron a Fernando atado, amordazado y con una brecha en la cabeza. Entonces se le disparó el pánico. No necesitó que el Infante le explicase lo sucedido, ya lo imaginaba. La apostilla fue la trenza de cabello rubio sobre la cómoda acompañada de esta nota:

Para que la guardes junto a la que ya tienes. Te amo. Siempre te amaré.

ELENA

Hubiera apaleado al Infante hasta matarlo, descargando en él la impotencia que le produjo la locura de su esposa.

La herida recibida continuaba en su hombro, se lo recordó un pinchazo sordo, le sobrevino un vahído y hubo de apoyarse en el muro.

—Diego..., lo siento, de verdad que lo siento... —oyó a Elena tras él—, pero no podía dejar que te arriesgaras. Creo que se hubieran dado cuenta del ardid y te hubieran matado sin consideración alguna. En cambio yo pude burlarles un tiempo...

Diego quiso detener sus explicaciones con un gesto de su mano pero ella estaba dispuesta a lo que fuera con tal de hacerse perdonar. Entrelazó sus dedos con los de él, su cabeza reposó en su hombro y quebró un sollozo.

Él hubiera querido apartarla de su lado, pero no podía. Deseaba gritarle, zarandearla, hacerle recobrar el seso aunque fuese a base de golpes, pero no hizo nada. Como puñales, sus incontrolables sollozos se le clavaban en el alma. Rechazaba mirarla, pero se encontró tomando el rostro de Elena entre sus manos y reflejándose en las lagunas azules que eran sus ojos, cuajados de lágrimas. Unos ojos que imploraban perdón y expresaban, sin palabras, su amor por él.

Acarició los húmedos pómulos y secó sus lágrimas con la yema de sus dedos. Ella ladeó la cabeza afianzándose a su contacto hasta descansar la mejilla en su palma. ¡Cristo, cómo deseaba besarla! ¡Cómo necesitaba desterrar el pánico sufrido al calor de su boca! La atrajo hacia sí para besar aquellos labios que se le entregaban, ávido de su sabor, carente ya de fuerza, de firmeza y hasta de dignidad, estrechándola contra su pecho, evaporando los nubarrones que ensombrecían su ánimo barridos por los vientos de un amor enfebrecido.

Cuando se separaron, en los iris dorados del conde de Bellaste no existía ni siquiera un resquicio de reproche. Inspiró hondo y dejó escapar un suspiro abrazándola con ternura, enterrando sus dedos en el recortado cabello femenino tiznado de suciedad y enmarañado.

—Es solo pelo —le dijo ella adivinando cuánto le disgustaba que lo hubiese arruinado—. Volverá a crecer.

—Elena, Elena... ¿qué voy a hacer contigo?

—Amarme, mi vida —gimió ella en sus labios—. Amarme siempre, como te amo yo. Y perdonar mis locuras hasta la vejez, cuando ya ancianos, debamos guiarnos apoyados uno en otro, acaso con un bastón en nuestro renqueante caminar.

—No pidas imposibles. Porque imposible es amarte más de lo que ya te amo, Elena.

—Escribamos nuestro libro, juntos. Cada día, una página nueva. Cada día, una prueba de nuestro amor.

Ella lo miraba embelesada. Parecía una niña traviesa que no hubiera roto un plato en su vida y a Diego se le perfiló una sonrisa en los labios. Elena nunca cambiaría. Y él no deseaba que cambiase, a qué negarlo. La quería tal como era: levantisca, valiente, decidida, quizás un poco chiflada y, desde luego, descarada. Dios le había hecho el regalo de colocarla a su vera y tendría que dar gracias por ello hasta el día de su muerte.

Volvió a besarla apasionadamente antes de prometer:

—Cada día, una página, mi vida.

Epílogo

Carlos I se hizo a la mar con rumbo a España el 8 de septiembre, pero el mal tiempo les impidió echar ancla en Santander, puerto de destino, teniendo que desviarse para desembarcar en Tazones, en la costa de Asturias, desde donde viajó hasta Tordesillas para visitar a su madre, la reina Juana. No fue hasta llegar a Valladolid que supo de la muerte de Cisneros: el camino hacia la corona de Castilla estaba expedito.

A un día de partir hacia la frontera camino de su país, el vizconde de Arend fue hallado muerto en su cama. Su final fue un misterio que nadie, ni siquiera Charles de Poupet, se molestó en investigar, limitándose a enviar el cadáver a Gante.

Germana de Foix conoció a Carlos en Valladolid y, pese a la diferencia de edad, mantuvieron un apasionado romance fruto del cual nació Isabel, quien, aunque nunca fue reconocida como hija legítima del emperador, fue criada y educada en la corte de Castilla con el rango que se le suponía a una dama de cuna.

Camelia Lawler decidió que había llegado la hora de arroparse con los suyos, vendió sus propiedades en Toledo y se afincó, definitivamente, en la hacienda de Los Arrayanes.

El infante Fernando vivió relegado políticamente hasta la muerte de su abuelo, Maximiliano I, en cuyo momento fue enviado a Flandes para alejarlo de sus partidarios en España. Casado con Ana de Bohemia y Hungría, fue adquiriendo protagonismo en la escena política germano-austro-húngara y distanciándose de su hermano Carlos hasta ser coronado Emperador del Sacro Imperio Romano Germánico en 1558, cumpliéndose así el pronóstico de Elena Zúñiga que supo reconocer en él un proyecto de gran hombre.

En cuanto a Elena y Diego...

Venecia, febrero de 1518

La habitación se encontraba en completa oscuridad, violada tan solo por haces de color que de vez en cuando se colaban a través de la ventana abierta al canal, por el que transitaban góndolas engalanadas repletas de bulliciosos nativos que cantaban a voz en grito, o foráneos que reían a carcajadas con sus estómagos satisfechos y bien provistos de alcohol.

A pesar del frío, Elena había pedido a su esposo mantener ligeramente entreabierto el balcón para empaparse de la algarabía y ver los fuegos artificiales. Se arropó con las mantas de piel que él había estirado sobre el lecho para protegerse de la baja temperatura, y apoyó la mejilla en el pecho masculino buscando su calor.

—Vamos a pillar una pulmonía —rezongó él, abrazándola.

—Deja de protestar —le recriminó mimosa, besándole en la barbilla—. Quiero seguir escuchando los sonidos que llegan de fuera.

—¿No has tenido suficiente? Señora mía, hace una semana que llegamos y apenas hemos descansado: has acudido a un sinfín de fiestas, has bailado por las calles, te has caído al canal por atrapar las flores que lanzaban desde una góndola, has enamorado a la mitad de la población masculina de Venecia...

—¿Solo a la mitad de la población...? Diego, mi vida, eres un grosero.

—... casi me tengo que batir en duelo con el impresentable de Degiuli, que prácticamente te arrastró a la pista de baile... —continuó él.

—¡Pobre hombre! Estaba bebido.

—... aparte de que hubiera matado a ese bribón castellano que te propuso...

—Es guapo, ¿verdad? Estuve tentada de aceptar su oferta —bromeó.

—¡Pero qué brujas sois las mujeres!

—¿Cómo dijo que se llamaba? ¿Orozco?

—¡Sí...! Carlos Arteche y Ruiz de Azcúnaga, conde de Osorno...

—Ah, sí. Todo un espécimen de hombre.

—Me hiciste pasar las de Caín cuando se te ocurrió cambiarte el disfraz con el de Isabella Lucca —siguió enumerando Diego, sin entrar al trapo de las punzadas guasonas de su esposa haciendo referencia al espléndido porte del sujeto—. Aún me duele su bofetada.

—Pero ¿cómo se te ocurrió besarla?

—¡Creía que eras tú!

—Eso es lo que salvó tu cabeza, esposo. Porque si alguna vez llego a sospechar, solo a sospechar, que andas en enredos deshonestos con otra mujer que no sea yo, date por muerto. Por otra parte, creo que a Isabella no le disgustó tanto como dio a entender. Parece una mosquita muerta, pero...

—Eres imposible...

Así se mantuvieron, abrazados, en esos silencios plenos que recrean la felicidad.

Sí, realmente había sido una semana intensa, plena de bailes y espectáculos festivos. Elena nunca supuso que los carnavales venecianos, una idea de Christopher Tolive para que la nobleza se mezclase con el pueblo, pudiesen ser tan mágicos. Quería disfrutar al máximo antes de regresar a España y a los problemas domésticos y de la corte, que volverían a acaparar toda la energía de su esposo y de ella misma. Tuvo oportunidad de lucir disfraces espléndidos recibiendo los requiebros de múltiples caballeros que, amparados tras el anonimato de sus máscaras carnavalescas, las llamadas *maschera nobile*, perdían la vergüenza y la colmaban de atrevidas insinuaciones, algunas de las cuales le hicieron reír. Disfrutó, navegando en góndola, del desparpajo con que entonaban sus canciones los gondoleros. Se deleitó en los conciertos. Por supuesto, visitó establecimientos de antigüedades y numerosas tiendas de recuerdos en donde compró artículos para su abuela en especial, pero también para Savatier, para el ama de llaves y para todos y cada uno de los sirvientes de la hacienda, siendo acompañada por un paciente Diego. No se olvidaron del doctor Unzaga, para el que adquirieron un estupendo juego de lancetas de plata y un tomo de medicina encuadernado en piel. Ni de Marina Alonso, su amiga del alma, a quien obsequiarían con una exquisita talla de cristal de Murano. A escondidas, Elena se hizo con un colgante de oro para su esposo, dentro del cual depositó un rizo de su cabello, que, poco a poco, recuperaba su anterior esplendor. Se había prometido dárselo después de cenar, apenas se retiraron a su habitación a petición de él, que quería un poco de intimidad después de tanta jarana. Y lo aprovecharon con creces aplicándose a una sesión de sexo con intervalos de duermevela en una noche memorable.

Ahora, mucho después, se estiró sobre el lecho, retiró el embozo y se incorporó sobre el cajón de la mesilla de noche para volver al abrigo de las mantas y al cuerpo caliente de su marido, a quien hizo entrega del envoltorio.

—¿Qué es esto?

—Tú me has regalado unos días sublimes y una preciosa gargantilla de diamantes. Es una bagatela, pero es para ti.

Diego se acomodó en el cabecero colocando los almohadones a su espalda y abrió el pequeño paquete.

—¿Un relicario?

—Mira dentro.

Así lo hizo, accionando el cierre de la joya y, a la vista de lo que contenía, sofocó una carcajada que acabó por estallar haciendo que su cuerpo se convulsionase por la risa.

—¿Qué es tan divertido? —preguntó ella sentándose a su lado, ligeramente decepcionada—. Puesto que pareces tener tanto cariño por mi pelo, se me ocurrió que esto sería mejor que guardar mis trenzas en una caja, y bien puedes darle uso en lugar del que ahora llevas.

—¡Una azotaina es lo que te mereces por habértelo cortado!

Se levantó de la cama y, espléndidamente desnudo como estaba, se acercó a la cómoda. Desestimó el rizo de Elena, tomó su navaja de afeitar y se cortó un mechón de su propio cabello, que depositó en lugar del de su esposa.

Ella le veía hacer sin saber a qué atenerse hasta que Diego, de rodillas sobre la cama, le colgó el relicario del cuello a ella y, sujetando el que llevaba sobre su pecho lo abrió mostrándole su contenido.

—¿Desde cuándo llevas mi mechón aquí? —preguntó la joven, confundida pero íntimamente halagada, atizada su alma por una corriente de amor.

—Desde que te corté la trenza siendo una niña. Siempre has estado junto a mi corazón, Elena. Siempre. Por eso nunca me lo quito.

El amago de un lagrimeo de felicidad afloró a los ojos de ella, que aprisionaba con fuerza su colgante entre los dedos. ¡Amaba a aquel hombre! ¡Dios, cómo lo amaba!

—Es justo entonces que yo también te lleve junto a mi corazón, aunque siempre has estado dentro de él. Gracias, mi amor. Gracias por ser como eres.

Diego la besó en la punta de la nariz, se metió entre las mantas y la atrajo a su lado.

—¿Qué te parece si dormimos un poco...? Estoy exhausto.

—De acuerdo. Descansa, porque mañana estamos invitados al baile de...

—¡Oh, Señor, otro más no! —exageró él el rechazo cubriéndose el rostro.

La risa de la condesa de Bellaste inundó la habitación mezclándose con el estrépito de los fuegos artificiales que, en racimos de colores, se expandían por el firmamento veneciano.

Nota de la autora

Diego Martín y Elena Zúñiga nacen en la primavera de 2009 como acompañantes de Carlos Arteche y Marina Alonso, personajes principales de *Amaneceres cautivos*.

Si dijese ahora que tenía pensado publicar su historia, mentiría como una bellaca, porque no es cierto. En principio fueron simples actores secundarios que completaban y aportaban el grado de complicidad que creí que necesitaba una novela que escribí con un cariño especial.

La insistencia de muchas lectoras para que forjase y recrease su historia me obligó a plantearme primero y materializar después las aventuras de Diego y Elena. O Elena y Diego, porque aquí bien podría enunciarse el lema de los Reyes Católicos: «Tanto monta, monta tanto...», dado el carácter indómito de la protagonista.

Sea como fuere, ahí los tenéis y espero que disfrutéis con ellos.

¡Ah! No quiero olvidarme: El cardenal Cisneros no se sabe que tuviera un amor de juventud, aunque todo es posible. A mí me hubiera encantado que así fuese. Tampoco viajó a Trujillo antes de dirigirse a Santander a esperar a Carlos I. Pero es históricamente cierto que murió en Roa el 8 de noviembre de 1517. Dado que me gusta incluir personajes reales en mis relatos, el Regente me pareció adecuado y me he permitido la licencia de adaptar un poco su biografía a mi historia. No creo que, desde allá donde esté, vaya a quejarse, puesto que le he alegrado sus últimos días con la compañía de una terca y voluntariosa amiga inglesa que le trató con la consideración de una dama española.

OTROS TÍTULOS
DE LA AUTORA

AMANECERES CAUTIVOS

Toledo, 1521. En pocos meses, Marina Alonso y de la Vega ha perdido a su marido, Juan de Aranda y al hijo que esperaba, y tras ser declarada demente, se ha visto desposeída de casi todos sus bienes.

Carlos Arteche, conde de Orozco, está seguro de que Juan ha sido asesinado, y jura encontrar a los culpables. Carlos nunca había aprobado la unión de su amigo con Marina, pero cuando la visita para ofrecerle ayuda no puede evitar sentirse atraído por esa mujer hermosa y decidida.

En una época turbulenta de la historia de España, en la que el orgulloso Carlos I se enfrenta al alzamiento de los Comuneros y la reina Juana intenta mediar en el conflicto desde su encierro en Tordesillas, Marina y Carlos se verán envueltos en dos guerras: la que vive España y la que libran sus propios corazones.

LO QUE DURE LA ETERNIDAD

Cristina Ríos, una joven experta en arte española, es convocada por el dueño de un castillo en Irlanda para tasar algunas de sus más preciadas posesiones. Cristina queda fascinada desde el primer momento por el castillo y por su gente, e intrigada por la leyenda de un fantasma que circula por allí... leyenda de la que se ríe hasta que se topa con el fantasma de Dargo, hijo del amo de la propiedad, al que una maldición ha hecho deambular por las estancias del castillo desde hace 400 años, en busca de una reliquia sagrada que pueda liberar su alma.

Una historia de fantasmas, leyendas y amor, colmada de aventuras, sensualidad y mucho humor, escrita por una autora española que conoce a fondo la novela romántica por ser ella misma una ávida lectora del género, y que muestra en esta primera novela un talento especial para crear personajes, situaciones y diálogos que seguramente le hará ganar muchas fans.